Lejos de Veracruz

Enrique Vila-Matas

Lejos de Veracruz

EDITORIAL ANAGRAMA

BARCELONA

Diseño de la colección:
Julio Vivas
Ilustración de: «Coristas», 1924, foto © Archivo General de la Nación,
   Colección Propiedad Artística y Literaria, México

Primera edición en «Narrativas hispánicas»: marzo 1995
Segunda edición en «Compactos»: octubre 2007

© EDITORIAL ANAGRAMA, S.A., 1995
   Pedró de la Creu, 58
   08034 Barcelona

ISBN: 978-84-339-6773-2
Depósito Legal: B. 45733-2007

Printed in Spain

Liberdúplex, S. L. U., ctra. BV 2249, km 7,4 - Polígono Torrentfondo
08791 Sant Llorenç d'Hortons

A Paula de Parma

A la Razón y a la Desesperación. A Jordi Llovet y a Michi Panero, maestros en ambas lides.

Ya lo dijo el Santo Papa, / y lo dijo a voz en cuello: /
«Para capital, Xalapa; / ¡sólo Veracruz es bello!»

Corrido mexicano

No todo el mundo sabe que a Veracruz y a sus playas lejanas no pienso en la vida nunca volver. Fui feliz allí, el mes pasado, en noche de luna llena, en Los Portales, ni antes ni después de esa noche, en el último mes de julio de mi juventud. Pero no pienso en la vida nunca volver, pues sé muy bien que la nostalgia de un lugar sólo enriquece mientras se conserva como nostalgia, pero su recuperación significa la muerte.

Fui a México el mes pasado cuando, encontrándome solo y dolido en la ciudad de Barcelona, mi desesperación en el ático de Sant Gervasi me llevó incluso al extremo de creer que oía voces y que los distinguidos huéspedes de mi librería se dedicaban a observarme con una ceja alzada y a recomendarme que, dado mi estado de locura por la muerte de mi hermano, abandonara cuanto antes mi soledad y tanto duelo y viajara.

Recordé entonces que me habían invitado a Guadalajara, en Jalisco, para que hablara de mi hermano muerto, y ya no lo pensé dos veces y, al día siguiente, escapaba de mi soledad y duelo. Viajé a México, rendí homenaje a los libros viajeros de mi hermano Antonio, don Antonio Tenorio, y cuando ya todo hubo terminado regresé a Ciudad de México en un tren cargado de botellas de tequila y, dejando atrás el bullicio de Jalisco, reí y bebí como nunca lo había hecho, y canté rancheras y hasta disparé —me vendieron un pequeño revólver ne-

11

gro— al aire siempre sereno de la mañanita mexicana, y fui tan feliz durante el viaje que, al llegar a mi hotel en el Zócalo de la Ciudad de México, sentí que era muy doloroso tener que volver a España. Lo sentí así sobre todo la mañana en que desperté con fuerte resaca en mi cuarto del Hotel Majestic golpeado por una voz misteriosa que me conminaba a escribir cuanto antes un relato que habría de llamarse *Es que soy de Veracruz*.

Aquel mismo día partía mi avión hacia España, pero decidí prolongar la estancia cuando, casi por azar, alguien me habló, largo y tendido, de la ciudad de Xalapa, en el estado de Veracruz.

Fui a Xalapa como quien va a Comala. Fui a Xalapa porque me dijeron que ahí andaba quedándose a vivir Sergio Pitol, que había sido un buen amigo de mi hermano Antonio. Emprendí en autocar la ruta histórica y algo extraña que une la capital de México con el puerto de Veracruz y que en el pasado sirvió de cordón umbilical entre México y España.

Pasé todo el trayecto evocando el estilo inconfundible de Billie Upward, aquel personaje de un cuento de Sergio Pitol, aquella mujer que escribía relatos venecianos entre las brumas de la vieja Europa y un aparente hermetismo creado con toda conciencia para configurar el clima de ambigüedad necesario a los sucesos narrados y así permitirle al lector la posibilidad de elegir la interpretación que le fuera más afín. De ahí que la narración de Billie Upward tenga algo de libro de viajes, pero también de novela, de ensayo literario y hasta de dietario.

Pensé que nada extraño sería que de forma parecida se estructurara de repente *Es que soy de Veracruz*, ese enigmático texto del que había empezado por conocer tan sólo el título, pero que poco a poco iba llamando cada vez más a mi puerta y casi ya parecía estar desplegándose silenciosamente y llegando hasta los últimos recovecos de mi imaginación, como si desde siempre hubiera estado destinado a escribirlo.

Encontré a un Sergio Pitol afectado por el suicidio de mi hermano Antonio, pero feliz de estar dando los últimos retoques a su casa nueva, a su vida nueva, lejos ya de Ciudad de

México, donde se sentía incómodo, instalado por fin en Xalapa, muy cerca de sus orígenes, cerca de su familia y del lugar en el que había nacido y que abandonó muy joven para recorrer el mundo.

—Yo sí que soy de Veracruz, y también tu hermano lo era, pero tú, amigo, eres, que yo sepa, de Barcelona —me dijo sonriendo cuando le comenté el título que me rondaba desde que la voz anónima del Majestic me lo dictara.

Le expliqué que en cualquier caso había algo extraño en todo aquello, pues si bien, en efecto, eran él y mi hermano Antonio los que eran de Veracruz, yo, por los motivos que fuera y que aún no había descifrado, llevaba días traspasado por el enigma aquel de la voz dictadora, que parecía estar empujándome a ir hacia adelante y a visitar el puerto de Veracruz y descubrir de dónde realmente yo era.

Hubo tras la entrañable cena una prudente retirada a primera hora de la madrugada. En un estado de cierta euforia etílica desperté, a las pocas horas de dormirme, en mitad de la noche xalapeña, con mi retina alucinada ante la súbita y fantasmal aparición del pico de Orizaba en mi horizonte visual. No era un sueño, tampoco una estricta realidad, tal vez una simple alucinación. Ante mí, en el recoleto cuarto de la Posada del Cafeto, estaba el Orizaba, alta montaña de nieves eternas en su cumbre de real ensueño. Fuera llovía. Me dije: «Mira, Enrique, es mejor que pienses que todo esto es verdad.» La lluvia se tensaba como las cuerdas de un arpa y, al igual que en un poema de Derek Walcott, era como si yo estuviera regresando al origen de todo, y un hombre con los ojos nublados tocara esa lluvia con sus dedos y tañera el primer verso de la *Odisea*. Pensé en los miembros de la tribu massai, que de vez en cuando le pedían a Isak Dinesen que *hablara como la lluvia*, es decir, haciendo rimas, que ellos desconocían. Pensé en el Genésis y en los orígenes cristianos de la lluvia y del vino y me acordé de Noé, el primer borracho.

Sintiéndome Noé en México, sospechando que en América sobrevivía la música que acompañó al origen de los tiempos, me quedé allí escuchando de la lluvia su rumor antiguo, allá en la Posada del Cafeto, prestando atención máxima a esa maravilla que es el *chipichipi*, tierno y casi ridículo nombre local para lluvia tan soberbia y tan tensada. El agua de la noche y el arpa y aquella imagen de cumbre nevada en mi retina de alcohol y duermevela tenían tal fuerza que al poco tiempo parecían estar abriéndome la gran puerta de la narración, y era como si *Es que soy de Veracruz* estuviera ya escandiéndose ante mí para confirmarme que, en efecto, desde siempre yo había estado destinado a escribirla.

Al alba cesó la lluvia y todo quedó en misterioso silencio y pensé en la triste travesía de nuestro siglo en busca de un silencio litoral sin pájaros. Todavía me seguía pareciendo sorprendente que yo, que me había pasado toda la vida huyendo como de la peste de lo que fuera artístico, pensara de pronto en términos tan literarios. Porque al pensar en ese silencio de nuestro siglo me acordé del maldito Beckett y de su intento de conducir la literatura a una turbia taberna irlandesa frecuentada por escritores mudos.

–Qué horror –dije para mí en voz alta–. Aunque hay que reconocer que Beckett actuaba con lucidez al querer conducirnos al silencio. ¡Pero caramba! Yo, por ejemplo, quiero escribir. ¡Yo quiero escribir *Es que soy de Veracruz*! Y, además, me gustaría demostrar que aún se puede ser original.

Al mediodía dejé de hablar solo. Volvía a estar junto a Sergio Pitol. Dejando atrás las lluviosas colinas de Xalapa, y por una hermosa carretera de cafetales, descendimos hacia el mar, hacia el puerto de Veracruz. Yo viajaba en silencio, con emoción contenida, pronunciando en secreto aquel nombre que por sí solo embrujaba todos mis sentidos: Veracruz.

Visitamos en sus afueras la bella Antigua, el lugar donde desembarcara Hernán Cortés al llegar a la exuberante México y donde se produjo el famoso episodio –quedan, y emociona verlas, las anclas todavía– de la quema de sus propias naves: quema que no fue tal, ya que en realidad se limitó a barrenarlas.

Era una historia que yo recordaba como un conjunto de frases tópicas, ligadas al aburrimiento de un texto escolar que había que memorizar con monotonía de lluvia en los cristales de los días franquistas.

Pero estar en el lugar de los hechos me abrió los ojos y me llevó a comprender el significado terrible, exacto y fascinante de aquel episodio por el cual —nadie como ellos ha hecho en toda la historia un viaje tan apasionante como el suyo, avanzando hacia Tenochtitlan sin saber qué iban a encontrar realmente allí— los soldados de Cortés viéronse de pronto a solas consigo mismos. Avanzar o morir, sólo tenían ante ellos una de esas dos opciones. Jamás volverá a existir un viaje igual, fue el viaje por excelencia.

Tal vez fuera por la belleza extrema de Antigua —con sus asombrosos árboles milenarios, cuyas raíces, como si de una venganza del tiempo se tratara, trepan como enredaderas por las ruinosas paredes de la que fuera la primera fortaleza de Cortés—, pero lo cierto es que no tardé nada en preguntarme si no estaría yo también en aquel preciso instante cortando amarras con mi pasado y con mi propia tierra a medida que me acercaba al puerto de Veracruz.

De pronto, a solas conmigo mismo —como un soldado de esa batalla perdida que era ya mi vida—, me sentí como un bajel que a partir de entonces fuera a deslizarse México adentro surcando las aguas de un inmenso silencio concentrado en sí mismo. A solas. Conmigo mismo. En Veracruz. Donde los niños, en las ruinas de la bella Antigua, no creían en el aguafiestas del irlandés Beckett y por unas monedas rompían el silencio litoral relatando, en clave disparatada y tropical, la más infantil y delirante historia de la quema de las naves.

Después, entramos por fin en el puerto de Veracruz, el lugar en el que, perdidos y perplejos, desembarcaron mis padres y tantos otros españoles al final de la Guerra Civil, el puerto de la película de Sarita Montiel, el puerto de mi imaginación y vida.

Recuerdo que había verdadera magia en un ambiente loco de marimbas y frenesí de puro habano cuando cruzamos lentamente el Zócalo y nos sentamos en Los Portales, en uno de los bares donde se sienta todo el mundo en Veracruz, y allí

15

bebimos algo inolvidable mientras se sucedían, una tras otra, bandas musicales que acabaron por cantarnos las obras completas (y otros cuentos) de don Agustín Lara. Cuando tan genial repertorio se agotó, una mujer que había aguardado su turno con singular paciencia en el más remoto de los portales, se acercó con una gigantesca arpa y, tensando las cuerdas como si fueran pura lluvia y *chipichipi*, cantó a un ritmo endiablado *La Bamba*. Bamba, la bamba, la bamba. Asombrados y aún no repuestos de tanta velocidad, vimos cómo un enano, agitando una campanilla de bronce, susurraba *María bonita* en inglés. Se añadió otro loco a la fiesta. Con un bucle horizontal sobre la frente enrollado y con vozarrón comatoso, el loco me espetó al oído:

—Y me muero por volver.

Para entonces mis ojos en Los Portales ya eran un inmenso zócalo de curiosidad dominguera y no tardaron en ser una fiesta total. Sentí que el momento era único. Sentí lo que habían sentido otros muchos antes que yo. Sentí que no era original. «Después de todo», escribió Pessoa, «la mejor manera de viajar es sentir. Cuanto más sienta, cuanto más sienta yo como varias personas, cuantas más personalidades tenga, cuanto más intensa, estridentemente las tenga...»

Fue uno de los escasos momentos felices de mi vida. Porque de pronto, hundiendo peligrosamente mi mirada en los detalles más ínfimos de aquella gran fiesta de Los Portales, brotó en mí ese momento inigualable en el que sentimos que formamos parte del mundo y que tenemos algo que expresar por mucho que sepamos que ha sido ya expresado muchas veces antes. Sabemos que es así, pero nos da igual. Porque, en momentos como ése, uno no calla. Al diablo con Beckett. Bamba, la bamba, la bamba. Y brota la palabra. Y uno habla, piensa que aquello lo ha de escribir, canta, le comunica a Sergio Pitol que la amargura por la muerte del hermano no empaña que se sienta muy feliz allí en Los Portales, en Veracruz. En momentos como ése, uno se entrega a sensaciones sabidas y simples. Y poco importa, señores, no ser original. Porque uno siente la vida, el amor y la muerte, las marimbas y el reloj puntual y eterno del Caribe al atardecer. Uno percibe su propia nulidad, también su grandeza. Uno siente en definitiva lo que otros muchos ya sintieron antes. Después de todo, la mejor manera de viajar es sentir. Uno se diluye feliz y barrena las naves. Y vive a partir de entonces, en común con tanto pobre mortal, el ruido y la furia de todas las almas de Los Portales. Uno sonríe y enciende un habano y poco importa entonces no ser original, señores, si uno ya es de Veracruz.

Una ligera neblina nocturna ha empezado a extenderse por S'Estanyol de Migjorn, aquí al sur de la isla de Mallorca.

Me he pasado el día celebrando que haya sido capaz, a primeras horas de esta mañana, de escribir de un solo tirón *Es que soy de Veracruz*, inaugurando así este cuaderno que contiene tres divertidos tucanes en su portada y que adquirí, el mes pasado en México, en el último viaje de mi vida.

Estoy pasando agosto en una modesta casa alquilada, aquí al sur de esta isla. Buscaba para pasar este mes el último rincón del mundo, y creo que lo he encontrado. Marta, la viuda de Antonio, que es mallorquina, me recomendó este sitio después de que le insistí mucho en que me buscara un lugar horrible, infame. Creo que acertó plenamente en su recomendación.

Me he pasado el día celebrando que haya sido capaz de relatar mi experiencia en los Portales de Veracruz e inaugurar este cuaderno. Todo ha empezado cuando, a primeras horas de esta mañana, estaba yo desayunando en la terraza que da al Paseo del Mar, escuchando distraídamente la radio. No sé quién dijo que vivimos de un modo parecido a como escuchamos la radio: esperando la siguiente canción, la canción que nos cambie un poco, si no la vida, la mañana. Pero yo la verdad es que esta mañana no esperaba nada. Amodorrado, me

17

dedicaba simplemente a esquivar una amenazante abeja y a hundir de vez en cuando mi mirada en las tostadas que había untado de miel y mantequilla. No esperaba nada, estaba tan sólo entretenido en esas tonterías cuando de pronto ha sonado en la radio, interpretada por La Voz de Chiapas, una versión algo desaforada de *Veracruz* («yo nací con la luna de plata...»), y entonces, movido por misteriosos resortes, me he puesto a corear, repentinamente feliz, la canción: «Veracruz. Son tus playas diluvio de estrellas, palmera y mujer. Algún día hasta tus playas lejanas tendré que volver...»

Concluido ese interesante momento, me ha parecido comprender el mensaje que se escondía detrás de él y he recordado que el mes pasado en Veracruz yo adquirí este cuaderno de los tres tucanes con la intención de llenarlo de palabras y demostrarme a mí mismo que, tras estos dos últimos años de tan intensas lecturas y profundo estudio, yo era perfectamente capaz de escribir lo que se me ocurriera, hasta de escribir libros como mi difunto hermano Antonio.

He rescatado del fondo de una de mis maletas el cuaderno, lo he abierto por la primera página y, sin titubear, he escrito la que es, para mí, una verdad muy grande: que al puerto de Veracruz y a sus playas lejanas no pienso en la vida nunca volver. Y eso a pesar de que fui feliz allí, el mes pasado, en una noche de luna llena en Los Portales. He escrito esto, y luego he proseguido sin más problemas y he redactado de un solo tirón *Es que soy de Veracruz*, y creo que lo he hecho parodiando, con bastante acierto, el celebrado estilo de mi famoso hermano Antonio, que solía convertir en pequeñas obras maestras esos «retratos de momentos», de los que era un consumado especialista: ese tipo de dibujo literario que consiste en relatos de instantes de deslumbramiento, de momentos en que nace un pensamiento, de una manera sinuosa, de una forma inesperada, en una relación muy estrecha con contenidos casuales procedentes del ambiente.

Al terminar la redacción de ese «retrato de un momento» —mi descubrimiento en el ambiente festivo de Los Portales de que no es ningún drama no ser original—, mi euforia ha sido tan grande que he dado unos pasos de baile y, cuando han aparecido mis vecinos y me han preguntado si me apetecía acompañarles al mercado de los viernes de Sineu, he dado un brinco de alegría y me he dedicado a celebrar, a partir de ese momento y durante todo el día, el que una canción de la radio hubiera sido capaz de cambiarme ya no la mañana, sino la vida entera.

Mis vecinos son una familia completa de Felanitx. Ignoro por qué digo lo de completa. Tal vez es porque parece no faltarles nada, nada de felicidad, por ejemplo. El padre es un afable dentista, y la madre es una señora de cierto temperamento y bastante gorda. Tienen dos hijas. Una muy guapa de quince años llamada Clarita. La otra sólo tiene cinco y su nombre es Berta, sin diminutivo. A Berta le regalé ayer un flotador rosa, y eso sin duda ha mejorado mi relación con los vecinos. Me conviene estar bien con ellos, porque así no estoy tan solo. Además, las dos casas están una muy al lado de la otra. Cuando salimos a nuestras respectivas terrazas, parece que vivamos juntos. Por suerte no tengo más vecinos, porque en la otra vieja casa adosada a la mía sólo se mueven las cortinas de la entrada y, aunque parece abierta al visitante, en realidad es una casa abandonada en la que, de noche, se oye correr por ella a más de un fantasma.

Estaba yo tan contento esta mañana que, cuando he subido al coche de la familia de Felanitx, casi les he ordenado que pusieran en la radio-cassette la banda original de la película *Danzón*, una historia de amor y de soledades que transcurre en Veracruz, la ciudad a la que, en vista de que no me acaban de convencer, por un motivo u otro, ninguno de los muchos lugares que he ido visitando a lo largo de mi lamentable y ya clausurada vida viajera, he elegido caprichosamente como mi lugar preferido y centro absoluto de toda mi nostalgia: una elección que es caprichosa pero que entiendo debo hacer, ya que si quiero ser como todos esos escritores tristes y elegantes que tanto me gustan, necesito forzosamente contar con algún interesante sentimiento de nostalgia hacia algo o alguien.

Pero ya digo, la elección de Veracruz es caprichosa. Porque tampoco es que ese puerto me convenza tanto, ni mucho menos. Es cierto que hubo momentos festivos en Los Portales, pero también lo es que, unas horas más tarde y tras acompañar a Sergio Pitol al hotel, inicié un descenso a los infiernos cuando me perdí en la noche y sucedió todo aquello tan desagradable con aquel individuo al que confundí con Dios.

Como lo he perdido todo y no tengo nada en este mundo, tener nostalgia —aunque sea impostada— es de las pocas cosas —la escritura en este cuaderno de los tres tucanes es otra— que todavía se encuentran a mi alcance. Algo de esto iba yo diciéndome esta mañana en el coche de mis vecinos, camino del mercado de los viernes de Sineu, mientras escuchaba con cierta amargura la letra de una canción que me traía el doloroso recuerdo del pasado: «Viajera, que vas por cielo y por mar, dejando en los corazones latir de pasión, vibrar de canción, y luego mil decepciones. A mí me tocó quererte también, besarte y después perderte...»

Al final de la canción, cuando el cantante pide a la viajera que regrese con él y no rompa ya más corazones, he preguntado a la familia de Felanitx, con los ojos algo nublados por las muchas heridas insensatas de la vida, si conocían México. Se ha apresurado a responderme la madre diciendo que tan sólo por el cine, por las películas de Cantinflas.

Esta simple respuesta escondía en realidad la maliciosa idea de dejarme relajado, sintiendo ternura por la simplonería de la familia. La madre ha buscado que yo me confiara para sorprenderme de pronto con una pregunta a boca de jarro:

—Pero dígame, y perdone por la curiosidad. Pero qué hace un joven como usted, un joven de veinticinco años tan agraciado, encerrado todo el día solo en una casa y en un pueblo, además, tan aburrido como S'Estanyol.

Ayer ella quiso saber mi edad y me quité dos años. Me he alegrado, al menos, de haberla engañado. Me he preguntado por qué me llamaba agraciado cuando casi podía pensarse que se burlaba de mí, pues no creo que de ningún manco pueda decirse que es precisamente una persona agraciada.

Mientras yo no salía de mi sorpresa, la hija mayor, la guapa Clarita —ojos verdes y mirada serena—, le ha reprochado a su madre la falta de discreción. He aprovechado para pensar mi respuesta.

—Perdone usted —he dicho finalmente—, pero yo no tengo nada de joven. Soy tan sólo un viejo y triste manco.

Se ha creado un ambiente de consternación general. El dentista parecía sufrir ante el rumbo de los acontecimientos. Ha habido un largo silencio, como si todos anduvieran dando vueltas a lo que les había dicho.

—Ande, haga el favor de no decir tonterías —ha terminado por comentar la madre mientras el dentista, visiblemente nervioso, abría el aire acondicionado del coche.

Ha acudido entonces en auxilio de todos la Danzonera Dimas de los Hermanos Pérez, que ha comenzado a abordar con maestría una versión muy triste de la ya de por sí triste *Lágrimas negras*. La música y el aire acondicionado, al ir aislándonos de la realidad y del calor que reinaba fuera, ha provocado que al pasar por un pueblo, como todos desierto a esa hora, nos hayamos lanzado a perseguir, con la retina helada y como en un sueño que no conociera final, la estela de un descapotable blanco en el que viajaban cuatro jovencitas de aire isleño —salvo la conductora, las otras tres de pie y bien eufóricas— bailando unas rumbas, que se han mezclado con nuestra música mexicana cuando hemos bajado las ventanillas del coche para preguntarles adónde iban tan contentas.

—¡Al *mercat* de Sineu! —nos han gritado, y han seguido bailando sus rumbas, de pie sobre el descapotable, en magnífico espectáculo matinal.

Iban saludando a todos los coches o personas con las que se cruzaban, lo que las ha llevado, en su irreflexiva euforia incontenible, a saludar y mandar todo tipo de besos a un coche funerario con un ataúd negro dentro, aparcado junto a un conjunto de cactus en medio mismo de la plaza de uno de esos pueblos desiertos por los que hemos ido pasando.

—¡También nosotros vamos a Sineu! —les hemos gritado, pero no nos han oído, pues todavía estaban asustadas de haber mandado tantos besos a aquella fúnebre estampa de sol y muerte: aquella imagen, en el fondo tan mexicana, de ataúd y mediodía, que me ha traído el recuerdo dormido de otra estampa y de otro descapotable blanco, entrevisto en un sueño reciente en el que yo conducía cerca del lago de Pátzcuaro, en Michoacán, donde no he estado, por cierto, nunca: habiendo bebido mucho Xicoténctal seguía medio enloquecido a unos autobuses que, zumbando en medio de las tolvaneras, circulaban con temblorosos muchachos de pie en su parte trasera, jóvenes tristes con lágrimas y rostros negros protegidos por trapos blancos y velos rosados contra el polvo del camino, asidos a la muerte, que tanto se confunde con la vida en México.

Y en México parecía que estuviéramos cuando hemos llegado al mercado de los viernes de Sineu, una vieja población con castillo, antaño capital del reino de la isla de Mallorca.

Me ha sorprendido, de entrada, ver un puesto de venta de pájaros exóticos. Inmediatamente después, dejando atrás las sorprendentes cacatúas y las araraunas, me ha llamado la atención la abundante presencia de vendedores negros —he recordado aquel hotel de París donde yo era el único blanco—, pero lo que más me ha sorprendido ha sido esa pareja feliz que, acompañada de un magnetófono, bailaba Jarabe Tapatío al pie del castillo.

Todavía no repuestos de tantas sorpresas, la familia de Felanitx y yo hemos recorrido, algo pensativos y silenciosos, los puestos de venta, y ha sido en uno de ellos donde el señor dentista ha comprado, a gran velocidad y con la seriedad y seguridad del que sabe muy bien lo que compra, varios *trinxets*, cuchillos en forma de luna menguante y para campesinos mallorquines, todavía hoy de fabricación artesanal. Uno de ellos lo estoy contemplando ahora mientras escribo que lo contemplo y me digo que posee una forma parecida a la luna de hoy.

Bajo esa luna de plata —yo nací con ella en Veracruz— vuelvo ahora al mercado de Sineu y al momento en que, ante el regalo del señor dentista, he comenzado a buscar a mi alrededor algún posible obsequio para la familia completa de Felanitx. Si cerca no había nada realmente interesante, a lo lejos me ha parecido ver un puesto de venta en el que, colgadas de perchas de colores, había todo tipo de blusas con abalorios, blusas mexicanas. He dudado de que estuviera viendo lo que veía, pero al acercarnos más al puesto de ventas he podido comprobar que no sólo las blusas eran mexicanas sino que todo lo que allí se vendía lo era: guitarras de Parocho, piñatas, caretas de jaguar, jarapas, sombreros de mariachi, rebozos, cuencos de calabaza vaciada y esterillas rojas.

He mexicanizado a la familia del dentista de Felanitx. Una blusa para la guapa Clarita, un cuenco vacío para la madre de las preguntas indiscretas, sombrero y piñata para el padre, dos caretas de jaguar para la niña. Me he preguntado cómo habría retratado ese momento mi hermano Antonio, y me he dicho que sin duda habría recurrido a ese truco tan suyo —copiado por cierto de Gombrowicz— consistente muchas veces en mezclar los hechos narrativos con un tema cercano al ensayo literario y, valiéndose de su nada desdeñable imaginación y también de su capacidad para la asociación delirante y gratuita entre las cosas más dispares, resolver el texto con un pensamiento final, que en ocasiones era muy brillante e inteligente pero en otras, todo sea dicho, escandalosamente superficial.

En el caso del paseo por el mercado de Sineu de esta mañana, no habría sido extraño que hubiera dicho, por ejemplo, que, camino de esa histórica población, no hacía más que interrogarse acerca de la interesante cuestión del ansia obsesiva de los escritores por el reconocimiento y el aplauso. Este tema guarda escasa relación, por no decir ninguna, con el hecho de que el dentista me haya regalado ese fascinante cuchillo en forma de hoz minúscula llamado *trinxet*. No la guarda y sin embargo mi hermano habría sabido encontrársela. Seguro. Habría mezclado en la misma coctelera ambos temas, el ensayístico —lo del reconocimiento y el aplauso— con lo estrictamente narrativo —el viaje, el regalo del cuchillo, el mercado, etcétera–, y habría terminado por obtener uno de esos «retratos de momentos» tan celebrados, relatos de instantes de deslumbramiento o de súbita revelación, de momentos en que, de una manera muy sinuosa o inesperada, nace un pensamiento en relación con el ambiente que lo rodea.

A veces esto le salía a las mil maravillas, pero en otras se le iba mucho la mano. Creo que son los inconvenientes de poseer una imaginación excesiva que en ocasiones él no sabía controlar, pues nunca se distinguió precisamente por saber apretarles el cinturón a sus fantasías desbocadas. La prueba, sin ir más lejos, está en ese día en que, dejando a un lado el más elemental sentido del ridículo, concluyó uno de esos fragmentos de los que estaban constituidos sus libros de viajes diciendo que su alma, en la gris luminosidad, había ido apagándose hasta quedar reducida a una pálida tira amarilla en el gris poniente...

¡Mi hermano! A veces escribía grandes tonterías. Yo, que tanto he viajado, me apiado de la causa por la que él, como escritor, en muchas ocasiones se veía obligado a confiar exclusivamente en su imaginación a la hora de escribir sobre viajes. No tengo más remedio que sentir ternura por él y apiadarme de que hubiera escrito tantos libros de viajes sin haberse movido nunca de su casa.

¡Mi hermano! Como no había visto mundo –él decía que ni falta que le hacía, y ponía como ejemplo al escritor Karl May, otro viajero impostado–, se veía obligado a recurrir a su imaginación –él decía que «con mucho placer y gusto»–, pero ésta le jugaba muy malas pasadas, que sus lectores le perdonaban porque encontraban que ahí estaba su gracia y también porque simplemente le adoraban. Suerte tenía de eso. ¡Mi hermano! Nadie ha espiado tanto su alma –juro que no era ni mucho menos esa «pálida tira amarilla en el gris poniente»– ni hundido tan peligrosamente su mirada en él como lo hice yo siempre que pude y a lo largo de tanto tiempo.

Llegué a conocerle a fondo y, ahora que me doy cuenta, en realidad si yo quisiera hasta podría ser él. Después de todo, ya lo he sido, y bien que me gustó. Ya lo fui, con su permiso, en Teruel, hace dos años, en aquella alucinante final regional del premio literario de esa revista femenina que desde entonces adoro.

De quererlo, yo podría ser mi hermano. Siempre nos hemos parecido mucho físicamente. Además, después de todo, ¿acaso no escribió Antonio, poco antes de suicidarse, en esas primeras y únicas líneas que dejó de *El descenso*, su novela frustrada: «A lo largo de mi vida he vivido las cosas como si lo que me sucede le estuviera ocurriendo a otro, que soy y no soy yo»? ¿Acaso no escribió eso? Fueron, junto a una cita de William Carlos Williams, las únicas líneas que dejó de esa novela en la que él proyectaba alejarse, por primera vez, de los libros de viaje que le habían dado tanta fama y contar la historia de la familia Tenorio al tiempo que reflexionaba en torno al fin de la juventud y el inicio del descenso en el camino de su vida. De ahí la cita de William Carlos Williams, que debía abrir el libro que nunca escribió: «El descenso seduce / como sedujo el ascenso. / Nunca la derrota es sólo derrota pues / el mundo que abre es siempre un paraje / antes insospechado.»

De quererlo, yo podría ser mi hermano. Siempre nos hemos parecido mucho físicamente. Además, después de todo, ¿acaso no soy, desde hace unas horas, de Veracruz?

Pero en fin, vuelvo a Sineu y al momento en que he mexicanizado a la familia de Felanitx y ésta, agradecida conmigo, me ha invitado a almorzar a un *celler* de Petra, una localidad vecina a Sineu y cuna de fray Junípero Serra, el fundador de California y evangelizador de la Sierra Gorda de México. Hemos visitado su casa-museo, hemos comprado una guía de viaje para quien desde esta isla se proponga marchar a México para visitar las misiones que él fundara en Querétaro, hemos comido el mejor *frit* de la isla, lo hemos regado con Coronitas bien heladas, hemos silbado unas rancheras, hemos elogiado la belleza del Jarabe Tapatío, hemos entrado ya en la esfera del sueño cuando un vecino de mesa nos ha preguntado si compartíamos con él su entusiasmo por las sopas de lima y la cochinita pibil.

De los Tenorio sólo quedo yo.

De los tres el único que sobrevive soy yo, que si hasta hace tan sólo dos años me distinguí siempre de ellos por mi empeño idiota en que mi obra maestra fuera mi propia vida, hoy, cuando eso lo veo del todo imposible, hoy, cuando de los tres hermanos sólo quedo yo, siento la necesidad de prometerme a mí mismo que, sin salir nunca del ámbito privado y secreto de este cuaderno, intentaré prolongar a mi manera la obra literaria de mi hermano mayor —del tan celebrado Antonio Tenorio, escritor— continuando ese libro, *El descenso*, que él había iniciado horas antes de matarse por mano propia, por discrepar —según dejó escrito en carta póstuma— de esa idea «tan vulgar como socorrida» de que lo más sensato que un hombre puede hacer en la vida es aceptar que ha llegado la hora del descenso y dedicarse noblemente a envejecer.

¿De qué trataba *El descenso*? De nosotros, de los Tenorio. Quería darnos el rango de los Baroja. Yo escribiré secretamente esa novela por él. ¡Mi pobre Antonio! Se suicidó porque le asustaba la idea de envejecer, pero yo en cambio sí que estoy más que dispuesto —y de hecho ya he empezado— a entrar sin el menor miedo en ese proceso de sensatez que consiste en dejar, por ejemplo, de hacer el idiota por una o varias mujeres y dedicarse, ya de una vez por todas, lejos de la extraña mentalidad de las mulatas, a la dignísima tarea de envejecer, que a mí me parece, hoy, aquí, frente al mar, en S'Estanyol de Migjorn, la actividad más razonable, la más sensata de todas, la que más me recuerda a la tarea de escribir.

Después de todo, eso ya lo dijo en cierta ocasión —como de pasada, pero lo innegable es que lo dijo— el propio Antonio cuando en su primer libro, *Cuando Cuba era un gran cabaret*, escribió que literatura y senilidad se parecían mucho, pues ambas tenían la ventaja de situarse fuera del obsceno juego de la llamada realidad —eso que, por ejemplo, llamamos la lucha por la vida— y eran, además, el refugio ideal para protegerse de las heridas insensatas y de los golpes absurdos que la «horrenda vida auténtica» —así la calificó entonces él— nos propina cruelmente en el momento de su transcurrir.

Eso decía Antonio en su primer libro. Y como yo, tanto si él creía en eso como si lo escribió —práctica muy habitual en él— para hacerse el interesante, juzgo desde hace dos años muy aceptable esa comparación entre vejez y literatura, y como sea que, además, la muerte de Antonio me concede una última oportunidad para encontrar un refugio donde poder protegerme de la maldita y horrenda vida verdadera, me dispongo ahora, sin ya más vacilaciones y fascinado y hasta esclavizado por mi repentina vocación —lógica, por otra parte, si se piensa que no tengo nada más a mi alcance, no tengo dónde caerme muerto—, a prolongar secretamente su obra, a escribir por él esa novela sobre nosotros, los Tenorio.

Me digo todo esto y sonrío si pienso que hasta hace tan sólo dos años ser escritor me parecía la ocupación más ridícula y polvorienta del mundo, pues la veía como dice verla Juan Villoro —en estos dos últimos años he pasado de ser alguien que detestaba los libros a leer un promedio de tres al día y a memorizar todo tipo de citas— cuando afirma irónicamente que la palabra escritor «huele a pipa apagada, apotegmas de dispéptico, edición intonsa, dedo ensalivado y pantuflas rancias».

De los Tenorio sólo quedo yo, el más joven —aunque esta palabra no es para mí apropiada, pues me he convertido en un pobre viejo manco—, el único que huía despavorido siempre de la cultura, el mismo que desde hoy y con pipa apagada de escritor recién estrenado asume la responsabilidad de hacer progresar en secreto —elevando, si se tercia, incluso su nivel— la obra de su hermano Antonio, suicidado a causa del temblor de espanto que le produjo la séptima arruga seria que viera aparecer en su rostro antaño tan alegre y optimista y causa principal del enamoramiento que hacia él sintió la no menos optimista Marta, hoy su desconsolada viuda y madre de dos hijas que vivirán siempre la ausencia del padre ignorando hasta qué punto es cierto eso de que su obra continúa —como dicen sus seguidores y apologistas— más allá de su muerte.

No sobrevive hoy, en cambio, a pesar de ser bastante valiosa, la obra pictórica de Máximo, mi otro hermano, el segundo de nosotros, mi pobre y querido Máximo. Mucho tuvo que ver con el desastre general de su vida la faena inicial que le hicieran nuestros padres al bautizarle con tan mala idea, pues pienso que para el pobre Máximo Tenorio tan demencial reto —me refiero, por supuesto, a ese tener que estar tantas veces a la altura de su ambicioso nombre— pudo ser una de las causas, directas o indirectas, de su triste destino.

Máximo nació cuatro años antes que yo, en Barcelona y en el mes de junio del año de 1962, justo en los días en que nuestros padres acababan de desembarcar en Barcelona. Nuestros padres, de familias de exiliados republicanos, se habían conocido en Veracruz, donde se habían casado y habían tenido su primer hijo, Antonio. Con el segundo embarazo de mi madre, decidieron regresar a Barcelona, de la que habían salido siendo unos niños. Pero un cierto malestar comenzó a producirse en la relación entre ellos, y ese malestar iba a pagarlo el pobre e inocente Máximo. Seguramente debió de ser porque les dio por relacionar sus constantes peleas desde que pusieran pie en tierra en aquella incómoda España franquista —tan distinta de la alegría veracruzana que habían dejado atrás— con el inminente nacimiento de su segundo hijo. Lo cierto —o, mejor dicho, lo más probable, según mi teoría, que creo bien fundada— es que, no sé si dándose cuenta o no de lo que hacían, bautizaron a su segundo hijo con el nombre menos apropiado de todos.

Un nombre nada idóneo ni recomendable para un Tenorio, pues está claro que ponerle Máximo —por mucho que sea una venganza inconsciente al relacionar al recién nacido con la crisis matrimonial— no tiene perdón de Dios, ya que le asegura al niño que en la escuela, por ejemplo, le ridiculicen sin tregua, como así le sucedió al pobre Máximo, que, siendo como era tan frágil de carácter, vio nacer en él un monstruoso complejo de víctima y la sensación de haber sido concebido para ser castigado por los demás.

Porque está claro que llamarse Máximo Tenorio le asegura a uno que, cuando sea joven y enamoradizo y se aproxime a las primeras chicas —y ése fue el caso del pobre Máximo, al que tanto quise, aunque sólo fuera por la compasión que generalmente me inspiró—, éstas se mofen de su trasnochado y forzado donjuanismo, que será algo que él no habrá fomentado, pero que, por llevarlo en las venas de la sangre de su nombre, tampoco habrá querido rechazar del todo, lo que inexorablemente le habrá conducido a esas típicas fanfarronerías de tímido agresivo que acaban por causar tan sólo desprecio y malestar entre las mujeres.

Cuando el tímido agresivo pasó a ser simplemente un tímido, tampoco entonces las cosas fueron nada bien, nada mejoró. Máximo, como tantos jóvenes que despiertan a la vida, se enamoraba con gran facilidad, pero era siempre rechazado, y no con un gesto displicente o una cariñosa negativa, sino con gratuito sadismo o bien con burlas tan injustas como feroces cuando era confundido con un mal imitador del Burlador de Sevilla.

De tímido pasó a ser una frágil silueta, la sombra más apocada del barrio de Sant Gervasi, donde vivíamos los tres hermanos con nuestro padre, en ese inmueble familiar de tres plantas que sigue siendo mi odiado domicilio. En las calles de ese barrio de Sant Gervasi, mi hermano Antonio y yo tratamos de ayudarle, de echarle una mano en más de una ocasión, pero no había manera de hacer algo por él. Antonio, por ejemplo, que era ocho años mayor que él, le presentaba a las hermanas pequeñas de sus amigas, pero era casi instantáneo el rechazo y las risitas de éstas, no sólo ya por su nombre de pila, sino por su extremo apocamiento o por su ridícula forma de vestir o por su excesiva torpeza de movimientos, lo que terminó por agrandar la herida inicial abierta por nuestro padre hasta los límites más insospechados, sobre todo a partir de aquel día en el que el desgraciado —no hay otro nombre para calificarle— de nuestro padre decidió tomar cartas en el asunto y contrató a la hija de un empleado de su inmobiliaria —ese negocio familiar en el que Antonio y yo trabajábamos, lo que a veces nos parecía un castigo por ser, a diferencia de Máximo, normales— para que se fingiera enamorada del joven apocado y ocioso y tratara de devolverle la confianza en sí mismo, resucitando en él «cierta virilidad y donjuanismo totalmente sepultados» —en palabras de nuestro padre—, así como cierta seguridad y arrogancia que tanto habían caracterizado a la familia Tenorio.

Siempre me he dicho —y ahora me complazco en escribirlo mientras escucho cómo se acuestan ya mis vecinos, imagino que rodeados de todos sus regalos mexicanos— que nuestro padre era un verdadero irresponsable. La prueba máxima no es haberle puesto Máximo a mi hermano. La prueba máxima creo tenerla en su caprichosa conducta hacia nuestra madre, con la que cesarían todo tipo de disputas matrimoniales al poco de nacer su segundo hijo, pero se recrudecerían, al parecer con especial violencia y sin que se hayan conocido nunca los motivos de lo que debió de ser tan sólo un capricho por su parte, dos meses antes de que yo viniera al mundo y mi madre muriera en ese trágico parto, lo que siempre me ha hecho pensar que es algo que mi padre agradeció, pues tuvo el detalle de bautizarme con el nombre normal de Enrique y jamás me dedicó ese odio casi extremo —¿acaso quiso agradecerme que hubiera muerto mi madre?— que parecía reservar sólo para el frágil Máximo.

¡El pobre Máximo! ¿Cómo puede adquirir seguridad en la vida un joven, ya de por sí triste y apocado, que descubre, un día y como en un mal sueño, que la joven que dice de él estar enamorada ha sido comprada por su padre para que le diga eso?

Destrozado, convertido en un tímido sumamente raro y en un trágico muy apocado, el pobre Máximo, al descubrir que no podía ser feliz, decidió probar a ser un genio encerrándose en el ático del inmueble de Sant Gervasi: un pequeño estudio que, por circunstancias de la vida, es ahora mi odiado domicilio en Barcelona. Allí se dedicó a pintar y a tratar de alcanzar la indiferencia hacia el mundo, es decir, una serenidad capaz de cicatrizarle el desgarramiento producido en su, ya de por sí frágil, capacidad de existencia.

Todo el día lo pasaba encerrado pintando, apenas salía del inmueble ni veía a nadie. Pintando, al principio, sus recuerdos más queridos y brillantes de la infancia, es decir, imágenes de aquellos días de verano en los que, en la casa de Platja d'Aro, se dedicaba a través de un teatro de marionetas a improvisar, a inventar historias ante un público que parecía intuir en él cierta genialidad.

Se vuelcan todas las esperanzas en el deseado hijo mayor, en el heredero, mientras que al segundo hijo se le concede menos atención cuando no directamente se le ignora o hasta maltrata con fruición. Ésta fue siempre la interpretación que daba Antonio cuando reflexionaba acerca del odio que hacia Máximo mostraba, tan a menudo y de forma tan visible, nuestro padre.

A Antonio siempre le gustó hablar con sentido común. Antonio siempre lo tuvo más que yo, pero nunca se lo envidié, y menos aún se lo envidio ahora, porque hoy puede verse que tanto sentido común en realidad no le condujo más que a esa nota final en la que, antes de arrojarse por la ventana del tercer piso de Sant Gervasi, decía que discrepaba, aunque sólo fuera ya a última hora, de esa idea «tan vulgar y socorrida» de que lo más sensato que puede un hombre hacer en esta vida es aceptar que le ha llegado la hora del descenso y dedicarse con dignidad a envejecer.

¡Pobre Antonio! No sabía que el sentido común sólo lleva al suicidio. Un suicidio que a mí me ha afectado mucho y que, además, para colmo tiene algo de penoso y sobre todo de ridículo, pues para huir del descenso en la vida se arrojó al vacío desde su ventana iniciando un descenso menos deseable del que iba a tocarle hacer en el caso de que hubiera aceptado el desafío de escribir este libro que, en un intento de prolongar su vida más allá de la muerte, ahora escribo yo.

¡Pobre Antonio! No sabía que el sentido común sólo conduce al suicidio. Yo prefiero ser un muerto en vida. Y prolongar la suya a través de este cuaderno de los tres tucanes, escribiendo en secreto desde este lugar horrible, el último rincón del mundo y el más penoso de los refugios que he podido encontrar yo: el derrotado en la vida.

¡Pobre Antonio! Siempre quiso mucho a Máximo, pero comenzó a ponerse muy nervioso el día en que vio que éste había decidido convertirse en un genio y que esto, además, podía perfectamente acabar siendo una realidad. Tardó en ver el peligro, de todos modos. Y es que Máximo, en los primeros meses de su drástico encierro, se dedicó a pintar, tras agotar todos sus recuerdos de infancia, las más horrendas gitanas, imitando con escaso garbo, y por tanto sin genio alguno, el arte de Romero de Torres.

Pero trabajó Máximo con tal tesón y constancia —por no hablar de su obsesión en dejar en ridículo ante toda la humanidad la figura de un padre que no estaba a la altura de aquel hijo genial— que terminó por adquirir cierta técnica con los pinceles y pasó a pintar una excelente serie de retablos muy originales en torno a lo que él llamaba sus «novias inventadas».

Recuerdo cómo Antonio y yo íbamos creciendo día a día en admiración y asombro cada vez que nos decidíamos a visitarle en ese luminoso estudio del inmueble de Sant Gervasi al que, al poco de nacer yo, se había trasladado la familia Tenorio, compuesta sólo por hombres, es decir, por el desgraciado de nuestro padre y sus tres hijos, no menos desgraciados en el fondo, huérfanos de madre, pues ésta —ya lo he escrito antes, pero no estará de más que lo repita, como si de un castigo escolar se tratara y así ir quitándome sentimiento de culpa— murió cuando yo vine al mundo.

De mi madre muerta me quedan hoy, como recuerdos esenciales, unas viejas y alegres fotos de su vida en Veracruz antes de conocer a mi padre y, sobre todo, algo que no está en los fotos pero está siempre en mi memoria: la estupenda historia que habla de cómo, al regresar a Barcelona —y de ahí seguramente que empezaran a llevarse tan mal en cuanto dejaron México–, mi madre, que era una rica *pubilla* de la comarca del Berguedà, obligó a mi padre, bajo la amenaza de retirarle toda su protección económica, a que montara de una vez por todas y sin mayor dilación algún negocio –sería finalmente el de la inmobiliaria, que acabaría, además, convirtiéndose en una mina de oro– y se olvidara para siempre de su nefasta manía de no hacer nada o, mejor dicho, de escribir esa horrible poesía *noucentista* que, en su deseo de adular a mi madre, que era de una familia de Berga muy catalanista, practicaba mi padre en Veracruz con la irritante insistencia del eterno principiante sin talento.

Vuelvo al pobre Máximo y a su luminoso estudio donde nos asombraba, día a día, con sus progresos, con su calculada y perversa venganza contra nuestro padre. Estaba ya cerca de convertirse Máximo en un genio, pero la verdad era que como persona cada día dejaba más que desear, pues daba pena de tan apocado, torpe y sucio que se le veía –nuestro padre, tal vez nostálgico de sus días de poeta, llegó a compararle con una «solitaria rada en ruinas»–, amén de idiota total a la hora, por ejemplo, de la conversación de sobremesa, y mongólico profundo ante las mujeres.

Por si fuera poco, en su afán de reforzar su conquista de la genialidad, había días en que se comportaba de la forma más estrafalaria y, por ejemplo, bajaba a cenar con la cabeza coronada por extraños tocados hechos de algas que, al parecer, le suministraba el chico del colmado.

Esos tocados y otras extravagancias solían poner muy furioso a mi padre, que en más de una ocasión arrojó aquellos adornos a la basura o al fuego, un día hasta por la ventana. Mi padre después gritaba, le llamaba afeminado. Máximo entonces lloraba. Y había que consolarle, porque daba pena verle tan frágil, tan falto de defensas ante la hostilidad de nuestro padre y del mundo.

Sin embargo, a pesar de esa fragilidad, a los pocos días Máximo recuperaba fuerzas y resurgía misteriosamente y volvía a la carga y bajaba a cenar exhibiendo, por ejemplo, un lenguaje sumamente críptico, sólo puntuado por silbidos que no hacían más que mostrarnos que no percibía la realidad de los mortales.

Pero cuanto más loco y fuera del mundo estaba, más genial se le veía. Y así llegó ese invierno en el que, a la vista de las maravillas que se estaban ya pintando en el ático –las novias inventadas habían dado paso a los más alucinantes paisajes caribeños, una premonición de su destino–, su hermano Antonio, que ya llevaba publicados dos mediocres libros de viajes –el de Cuba y el más que irregular *Entre beduinos*–, empezó a sentir celos artísticos de él y a temer seriamente que Máximo acabara siendo realmente genial y no resistieran sus hallazgos la más mínima comparación con los discretos resultados que él estaba obteniendo de unos libros demasiado tímidos y sin duda algo mal escritos, tal vez a causa de que estaba demasiado atenazado por sus compromisos con Marta –su eterna novia mallorquina– y el duro trabajo en la inmobiliaria.

Recuerdo de ese invierno la imagen de un Antonio siempre bastante sombrío –no tanto, en cualquier caso, como en los días que años más tarde precederían a su suicidio– e hipócrita, porque trataba constantemente de ocultar sus temores ante los enormes progresos de su inesperado competidor familiar, su triste y apocado pero genial hermano.

–Todo eso gracias a que se ha vuelto un completo subnormal y apenas sale del estudio y no pierde el tiempo con las mujeres –llegó a comentarme, una tarde, casi enfurecido un preocupado Antonio, que acababa de admirar en el estudio de Máximo una sorprendente serie de solitarias radas en ruinas, una serie pictórica que mejoraba a todas luces los paisajes caribeños y que, además, parecían estar riéndose abiertamente de la descripción de solitaria rada en ruinas que de él había hecho nuestro padre.

–Me parece –recuerdo haberle contestado a Antonio– un precio muy alto, demasiado alto, por pintar bien. Prefiero mil veces a las mujeres, y últimamente también los viajes. Los viajes con ellas, claro está. Preparo uno. Seguramente al África.

Y, además, debo decirte que todo eso de ser artista, todo eso de pintar, escribir y otras mamarrachadas, me parece una solemne tontería y pesadez. Francamente, yo espero no ser como vosotros, no seguir nunca vuestros pasos.

—Me haces gracia —dijo Antonio—, porque ya sé lo que te pasa. Eres el típico hermano pequeño que anda buscando un espacio propio y tiene que buscarlo en las afueras de los espacios que los otros hermanos ya han ocupado. Yo escribo, Máximo pinta. ¿Y a ti qué te queda? La música, supongo.

—Creo que no me has comprendido —le dije algo molesto—. Yo no quiero ser para nada un artista. Yo aspiro únicamente a vivir. Mi obra maestra será mi vida.

—¿Tu vida en la inmobiliaria? —preguntó con muy mala idea Antonio.

—Eres un cerdo —le contesté, porque no se me ocurrió nada más.

Con todo su sentido común a cuestas, Antonio me dirigió, esa tarde, una mirada entre el reproche y la sorpresa. Era el mismo sentido común que iba a crearle serios problemas ante el paso del tiempo y la dura constatación de que hemos dejado de ser jóvenes.

Era el mismo sentido común que, un día, tras sus numerosos libros de viajes, iba a llevarle a las puertas de escribir *El descenso* y contar por fin una historia no inventada, una historia acerca del paso del tiempo, una historia sobre nosotros, los Tenorio. Pero ese sentido común sería el mismo que a última hora le iba a impedir la redacción de ese libro, sería el mismo que se dedicaría a inyectarle todo el miedo del mundo en el cuerpo y a retirarle del proyecto y hasta de la vida, incapaz mi hermano de resistir por más tiempo la angustia que le producía, tal como me dijo días antes del suicidio, su vida sin relieve y sepultada antes de nacer: esa vida con todos sus días que se escapan y se acumulan uno igual a otro formando los años, los decenios, la vida tan vacía.

Esa tarde, después de que le llamara cerdo, mi hermano Antonio me miró con todo su sentido común a cuestas. Y yo —no iba a ser la última vez que lo hiciera— hundí peligrosamente mi mirada en un pequeño detalle de la alfombra de aquella sala de estar: la figura obesa de un minúsculo ángel.

—Te lo diré de otra forma —insistí, esta vez mirando a la alfombra—. Eso de escribir, hacer cine, pintar, dirigir una orquesta, todo eso me parece una solemne pesadez. Me dan cien patadas los artistas. Siempre he tenido la impresión de que los obreros, los camareros, los camioneros, los mecánicos viven existencias más intensas. Generalmente los artistas sólo saben, sólo intuyen lo que el hombre corriente ha experimentado en lo más profundo.

Eso le dije esa tarde a mi hermano, y es que, por aquellos días, yo, que acababa de alcanzar la mayoría de edad, huía como de la peste de la tradición artística de la familia, pues lo que veía, y lo veía muy claro, era que nuestro padre había perdido miserablemente el tiempo en Veracruz escribiendo con su pipa apagada versos infumables. Pues lo que yo veía, y también eso lo veía muy claro, era que Antonio, atado por su gabinete de trabajo y la fabulación de viajes inventados, escribía como un condenado, mientras que el pobre Máximo, esposado a su necesidad de humillar a nuestro padre siendo genial, pintaba como un enajenado.

No. No me interesaban nada sus angustiosas torres de marfil. Me parecía que ya había suficientes «destinos artísticos» en la familia y que ante mí se abrían derroteros mejores, más vitales. Viajar, por ejemplo. Ver mundo, huir del enfermizo arte familiar.

Comencé a planear un viaje al África con la primera mujer que encontrara. Pero mientras la buscaba —y la verdad es que sin demasiado éxito—, la infinita y a veces hasta cargante tristeza del pobre Máximo llegó a hacerse para mí agobiante, sobre todo el día que nos anunció que iba a reformar su luminoso ático para convertirlo en una tumba etrusca. Yo sitúo en ese día el origen de mi decisión ya inapelable de viajar. Yo sitúo en ese día el origen de mis desdichas en la vida.

—Una tumba etrusca. Con su disposición funeral y todo —precisó Máximo, como queriendo subrayar que pensaba transformarla en uno de esos hogares para muertos que eran todas las sepulturas de los etruscos: sitios siempre íntimos, recogidos, de dimensiones modestas, lugares pensados para las actividades de los que sólo son muertos en vida.

Un día, agobiado por tanta «disposición funeral», decidí adelantar de golpe la entrada de aire fresco en mi vida y, ya sin darle más vueltas ni aguardar a encontrar compañía ni nada, me marché al África. Volé a Ciudad del Cabo, y de allí en Land Rover primero y después a pie y en otros medios de locomoción fui remontando el tan fascinante como también cruel continente. Maramba, Malange, Luanda, Enugu, Niamey, Tombouctou, Rabat me vieron pasar. Contemplé alucinado tanto la extrema riqueza del salvaje colorido de esas tierras como la singular fiereza de sus habitantes. Y lloré.

Lloré porque la belleza no es nada si uno hace el viaje perseguido por una infatigable tribu de lobos. Porque a lo largo de los muchos meses que tardé en subir hasta Rabat, tuve que soportar una grave indigestión de carne de hipopótamo, ataques furibundos de los insectos más raros, la tortura criminal de los policías fronterizos, un asalto a mano armada —en defensa propia tuve que disparar y hasta matar—, tres detenciones por espionaje, la disentería, pedradas en una aldea de Zimbabwe, dos bochornosos intentos de violación, la implacable y perversa malaria.

El viaje fue el horror de los horrores, pero me sirvió para confirmar que, en efecto, tal como había oído decir a veces a mi padre, el infierno son los otros. Nada sabemos de ellos por mucho que creamos conocerlos. Los otros son un misterio, tan grande como África, tanto cuando ríen —porque en el fondo puede que estén llorando— como cuando lloran, porque es probable entonces que por dentro anden riéndose y tú no lo sepas, no sepas que andan riéndose nada menos que de ti.

Los otros son horrorosos y nada alcanzamos realmente a saber de ellos, salvo que a veces hay que matarlos si pretenden ellos matarte a ti. Eso es lo que aprendí en ese viaje al África: a matar. Fue en defensa propia, de acuerdo. Pero el hecho es que empuñé el arma, disparé. Cuando uno comete un asesinato, puede cometer a partir de entonces diez mil más.

Así pues, mi viaje al África sólo sirvió para constatar que el hombre es un lobo para el hombre. Sólo sirvió para eso y para convertirme en un ser desinhibido a la hora de matar.

El viaje fue el horror de los horrores, y nadie durante el mismo —absolutamente nadie, nunca— me tendió una sola mano en las múltiples ocasiones en las que necesité ayuda.

Destrozado, regresé a Barcelona.

Y lo hice mentalmente lisiado, convertido en un asesino y maldiciendo la grave negligencia de mi padre —maldiciéndolo a pesar del temor y el respeto que ahora me infundía, pues le sabía muerto, fulminado durante mi ausencia por una embolia— por no haberme hablado nunca, por ejemplo, de esa extraña sensación que, tarde o temprano, nos llega: la impresión de que uno es uno y los otros son otros y que, además, no sólo son otros, sino muy diferentes de uno y, además, lo mejor que uno puede hacer es desconfiar totalmente de ellos, pues de los hombres, y de ellos sólo, es de quien hay que tener miedo, verdadero pánico, siempre.

Con el tiempo iba a tener que recriminarle a mi padre otras muchas cosas más, como por ejemplo el que no me hubiera advertido nunca acerca de las numerosas heridas que nos causa, sin motivo alguno, la vida, tan insensata y horrenda ella. Con el tiempo iba a tener que reprocharle que no me hubiera hablado, por ejemplo, de la crueldad de la muerte de un ser amado, de la traición femenina, de la angustia de descubrir que todos somos asesinos, del dolor físico, de la miseria, de la desilusión existencial que tarde o temprano nos corroe...

Destrozado, llegué a Barcelona. Llegué a mi ciudad hundido por aquella primera grave afrenta de mi vida, pero alimentando cierta esperanza de que fuera cierto eso que un mago en una aldea del Camerún me dijo acerca de que las mujeres europeas cuidan a los aventureros que regresan de los climas cálidos de los países más lejanos y perdidos.

Destrozado, llegué al inmueble de Sant Gervasi, a ese remanso de paz burguesa. Allí me aguardaba, en la tercera planta —la misma en la que hasta entonces había vivido nuestro padre—, el escritor de la familia, mi hermano Antonio, el sedentario, con unos kilos de más —los mismos que había engordado yo, seguíamos pareciéndonos bastante en lo físico— y su último libro en las manos, *Por la alta Mongolia*.

—Te gustará —me dijo al dármelo, y sonrió. Sabía que posiblemente ni lo hojearía.

Todos los papeles de mi herencia estaban cuidadosamente desplegados con gran orden sobre una mesa cercana a la chimenea, pendientes tan sólo de mis rúbricas.

En impostada comedia de dolor —nos afectaba la muerte de nuestro padre, pero no nos daba para tantas lágrimas como allí hubo—, le di un beso llorando.

—Una embolia —dijo Antonio bajando la cabeza y como si no supiera qué más decirme.

—Una embolia —repetí yo, que me encontraba en la misma situación que él, sin disponer de demasiadas palabras para comentar el óbito paterno.

Nos sentamos finalmente junto al fuego del hogar y yo firmé los papeles que me convertían en pensionista para toda la vida.

Cuando hube terminado de firmar, pregunté cómo iban las cosas por el inmueble. Se inició una de esas breves conversaciones absurdas que teníamos a veces él y yo: conversaciones en las que más bien parecía que habláramos los dos dormidos y como comentando nuestros propios sueños. Apenas encajaban las palabras de uno con las del otro. En realidad, toda nuestra vida la pasamos hablando así entre nosotros. Nuestra misma relación fue siempre algo desencajada.

—Digo —le repetí— que cómo van las cosas por el inmueble.

—Pues ya ves —respondió enigmáticamente.

—¿Qué tengo que ver?

—Con mi boda espero que nada.

—¿Te casas con Marta?

—Y dime, ¿crees que merece la pena?

—Tú sabrás.

—Me refiero al África —precisó.

Pero yo seguía teniendo la impresión de que me preguntaba por una mujer.

—No te la recomiendo —contesté.

—No pensaba ir —dijo sonriendo.

Después, nuestro diálogo encajó algo más porque me dediqué a describirle cómo eran los beduinos sobre los que tantas falsedades se habían dicho, incluidas sin duda las suyas, y me entretuve explicándole alguno de los terribles descubrimientos que había hecho a lo largo de aquel complicado y duro viaje. Nada dije del muerto que dejé tendido en un charco de sangre en Dahomey, en defensa propia. Nada dije, no lo habría entendido. Pero sí le hablé, y durante bastante rato, de la decepción que había yo sufrido ante la forma de ser del género humano. Le hablé también de mi profunda certeza acerca de que nada sabemos de los otros y que tal vez sea mejor así, ya que llegar a saber algo todavía es peor y, además, equivale a llevarse las más desagradables sorpresas...

Me interrumpió para reírse un buen rato de mí y recriminarme que hubiera sido tan estúpido de haber viajado tan lejos para acabar descubriendo tan sólo cuatro lugares comunes acerca de la condición humana. Cuatro conceptos que, según él, podían aprenderse perfectamente en los libros.

—Si no te empeñaras en ser camionero, otro gallo te cantara —me dijo.

Protesté y me reprochó de inmediato que le estuviera levantando la voz en aquel lugar sagrado.

—¿Sagrado? —pregunté con notable extrañeza.

Antes de decirme, sin el menor temblor de voz, que si aquel lugar era sagrado se debía al incuestionable hecho de que, tras la muerte de nuestro padre, aquella tercera planta la habitaba la primera autoridad del inmueble —o sea él—, me advirtió del peligro que estaba yo corriendo de acabar muy mal si seguía empeñado en diferenciarme de mis hermanos por el camino de huir de la cultura para convertirme en un obrero de la construcción o un beduino del desierto.

Dicho esto, se rió a gusto. Se había convertido en una rata militante de lo sedentario, en un maniático tan engreído como autoritario, que se vestía con la bata de seda de papá y fumaba en lugar sagrado con la pipa, sin darse cuenta, bien apagada. Eso deduje de su actitud y de sus ridículas palabras. Había decidido ocupar el lugar de nuestro padre.

—¿De modo que ahora te crees que eres papá? —le dije.

—No exactamente, pero debes saber que soy tu hermano mayor y que, aunque viaje poco, sé muy bien de qué va la vida y puedo aconsejarte más de lo que crees. A partir de ahora, si quieres emprender otro viaje demencial, será mejor que me preguntes antes mi opinión.

—No serás mi padre, pero actúas como si lo fueras. Es repugnante.

Inició una de sus típicas maniobras verbales, comenzó a despistarme con palabras que no venían al caso y que sólo conseguían desconcertarme. Le gustaba hacerme ver que tenía, a diferencia de mí, cierta facilidad de palabra.

—Me estiro —dijo— y bostezo ante ti con estrépito, mi querido Enrique. Dejo ver unas encías desnudas como las de un bebé. Soy el león de la tercera planta. ¿Algo más que objetar?

—Que Dios nos ampare —fue lo único que supe en ese momento contestarle.

—¿Algo más? —volvió a preguntar, satisfecho del efecto disuasorio de sus palabras.

Entonces, no sé cómo fue, se me ocurrió de pronto que, si imitaba a nuestro padre en todo, seguro que llevaba un tiempo maltratando al pobre Máximo. Pregunté por Máximo.

Lo recuerdo como si fuera ahora. Sonaron las siete en punto de la tarde en aquel maravilloso reloj de pared que nuestra madre había comprado a un anticuario de Berga. Las siete campanadas sonaron contundentes, como queriéndome indicar que eran los siete golpes secos que acababa de darme África y la vida en plena frente. Leí la graciosa leyenda inscrita en el reloj por artesano anónimo: «Quien demasiado me mira pierde su tiempo.» Y sonreí levemente. No me era fácil ocultar que estaba preocupado. Recuerdo muy bien lo que pensaba: «El viaje sólo me ha desalentado. El peso del mundo aplasta el entusiasmo.»

Yo pensaba eso cuando vi que preguntar por Máximo había dejado muy inquieto a Antonio, que fue a la cocina y regresó con dos copas de jerez y, poco después, algo ya más calmado, apoyó sobre la repisa de la chimenea su codo izquierdo y me dijo que en efecto yo había acertado plenamente en lo de que nunca sabemos cómo son los otros y que la prueba más evidente la teníamos precisamente muy cerca de nosotros, en nuestra propia familia, en el pobre Máximo, nuestro pálido pintor de tumba etrusca, que en cuanto vio arreglados los papeles de su herencia se había largado a vivir al Caribe con una mulata despampanante.

—Una mujer de bandera —añadió sin pestañear siquiera—. La cantante Rosita Boom Boom Romero, la reina del bolero, la guaracha y el cha-cha-chá.

Le robé un peine al pintor Botero. Cuando aún tenía dos brazos y podía peinarme con la mano izquierda o con la derecha, según fuera mi antojo. Le robé un peine al señor Botero. Entré en su lavabo por el simple gusto de inspeccionarlo y de paso hundir la mirada en algún pequeño detalle, y acabé por llevarme el peine.

He recordado todo esto cuando, al dejar de espiar el lento despertar de mis vecinos de Felanitx, he hundido mi mirada en un pequeño detalle de una fotografía que, en un reportaje sobre la casa de Nueva York del pintor Botero, aparece en el último número de esa revista femenina que, con su premio regional de hace dos años, tanto alegró y hasta cambió mi vida.

Al observar con atención la fotografía de la lujosa biblioteca de esa casa, he reparado de pronto en el detalle ínfimo —me gusta mucho hundir mi mirada en lo pequeño— de una huella circular sobre la portada de un libro de cuentos de Chéjov. No he tenido ninguna duda al respecto. He reconocido esa huella como mía. En la misma fiesta en que robé el peine, deposité mi vaso de ginebra a propósito sobre la portada de esa edición de los cuentos de Chéjov.

Me he dicho: «Esa huella es mía. Esa huella, además, ha viajado de París a Nueva York. Me siento hasta orgulloso de ella», me he dicho, y me he quedado pensando que hundir la mirada en los pequeños detalles me ha dado muchas veces espléndidos resultados. Como esta mañana cuando la huella de mi vaso me ha llevado a recordar el robo del peine, y me ha liberado del aburrimiento en el que me encontraba en la terraza.

Recordar el asunto del peine me ha llevado a evocar de golpe los días en que siendo muy joven viajé a París, donde me instalé en un hotel de Saint Germain en el que todos sus clientes, todos menos yo, eran de color, y la mayoría se dedicaban a la venta ambulante. Todos fumaban marihuana —eso les hacía a todos iguales, además de su negritud, que también, en mi opinión, les igualaba— y eran muy agradables que yo recuerde y muy alegres —es muy probable que de ahí naciera mi equivocada idea de que África merecía la pena— y llamaron, un día, a mi puerta para decirme que estaba invitado como ellos a una gran fiesta que daba un pintor colombiano llamado Botero.

Me dieron de fumar hierba y empecé a decir un sinfín de idioteces que fueron jaleadas por los negros que no entendían nada pero que se reían al verme tan distendido y acabaron convenciéndome de que yo era poco menos que imprescindible en aquella fiesta.

Una vez en casa de Botero, mezclé salvajemente hierba con ginebra, y enloquecí. Uno de los negros, que resultó ser pariente de Botero, un colombiano que nunca perdía el humor, lo perdió conmigo. Me recomendó que dejara de beber. Guardé por unos minutos la compostura, algo asustado ante la repentina seriedad de mi amigo colombiano. Volví a perder esa compostura cuando escuché a una señora disertar acerca de un libro que hablaba de tiendas de color canela y que había sido escrito por un judío al que asesinó un oficial nazi. Escuchar eso me provocó una risa floja, la risa del ignorante que no sólo no entiende nada sino que, encima, cree, a causa de la pujanza del color verde en su retina de drogadicto ocasional, que está en la selva más breve del mundo y que ese mundo es el reino de Jauja y que la vida en él sólo existe para las hojas.

Sumido en semejante delirio, no es extraño que mi risa también lo fuera y que todo el mundo me mirara muy mal y con enorme desconfianza. Decidí rehuir sus miradas y me fui a bailar. Lo hice con gran arrojo y pisando a más de uno, y cuando me llegó la fatiga, entré en el lavabo, robé el peine, dejé mi huella en el libro de Chéjov, proclamé mi desprecio más absoluto hacia cualquier tendencia artística y acabé siendo invitado a abandonar la casa dado mi estado de extrema embriaguez.

—Al menos yo soy una hoja que está viva —les dije a modo de críptica protesta por la expulsión.

—Sólo te falta una pistola y serías Goebbels disparando contra la cultura —me dijo, muy enojado, mi amigo colombiano.

Me echaron de la forma más vergonzosa. Con una patada monumental en el culo. Caído en el rellano y resistiéndome a aceptar que había sido humillado, rocé con mis dedos el bolsillo donde guardaba el botín de Botero, mi gran trofeo: el humilde peine robado.

Al día siguiente dejé París y, cruzando Bélgica a una notable velocidad, comencé a viajar por diversos países en los que tampoco me detenía mucho a mirar: Alemania, Polonia, Checoslovaquia, Hungría. Como si todavía estuviera bajo los efectos de mi delirio en la fiesta de Botero, yo imaginaba todo el tiempo, a pesar de que cambiaba constantemente de país, no haber salido en realidad de Bélgica. Todo me recordaba a ese país que había cruzado tan velozmente al huir de mí mismo y de la fiesta parisina. Y por tanto el espectáculo del paisaje apenas para mí variaba alguna vez, y terminé por prometerme que no volvería nunca más a recorrer esos lugares enrarecidos por la bruma y el olor a mierda humana de los barbechos recién abandonados.

De Europa siempre el sur me ha gustado algo más, aunque tampoco mucho. La bella Italia, el color siena, Grecia y el azul de Ítaca. No está mal. Me gusta más, pero sobre todo porque me parece el paisaje ideal para el muerto en vida que hoy soy yo. Un lugar perfecto, además, para ser enterrado cuando muera del todo. Sí. El Mediterráneo no está nada mal para vivir como un derrotado en la vida y ser enterrado mirando al patético azul de sus aguas. No está nada mal. En cuanto al resto de España, todos aquellos lugares que no baña este mar tienen el encanto agridulce de la Europa de los barbechos pero sin llegar a pertenecer siquiera a ella, pues más bien yo diría que componen una provincia triste del norte de África, y en fin, sobre el horror de África creo haberlo ya dicho todo.

Y es que ningún sitio me atrae especialmente, ningún lugar me fascina al máximo porque no ignoro que si existiera en esta vida un colosal y extraordinario encanto, éste para mí consistiría en estar donde no estoy para desde allí poder desear dónde estar, que sería en ninguna parte. De modo que soy de Veracruz, y punto. Y si lo soy es porque no me queda otro remedio que ser de algún lugar y, como escritor, tener cierta nostalgia de él. Ante semejante necesidad, no me parece mal haber escogido Veracruz, pues a fin de cuentas es ahí donde, el mes pasado, di por clausurada mi vida, sobre todo después de la fiesta en Los Portales, cuando inicié aquel descenso asesino al refugio del puerto, allí donde pensé que se escondía Dios y lo único que hallé fue el desventurado fin del libro de mis días.

Me he dicho todo esto cuando hace un rato, tras hundir mi mirada en la casa de los vecinos y en la revista femenina y recordar de pronto el robo del peine y la huella circular de mi vaso y mi locura juvenil de antaño, he regresado a París y a aquella fiesta y he pasado de estar algo entretenido a estarlo mucho cuando he caído en la cuenta de que mi forma de hundir la mirada en ese detalle de la biblioteca de Botero se parecía mucho al modo en que la hundí en aquella figura mínima de la alfombra de la casa de Antonio cuando éste me comunicó la increíble noticia de que nuestro querido y apocado hermano Máximo, nuestro pálido pintor de tumba etrusca, se había largado al Caribe con la reina del bolero, la guaracha y el cha-cha-chá.

—Es una mujer de tal belleza que hasta da miedo mirarla —me dijo, aquel día, Antonio.

Todavía puedo verle allí, con bata de seda y de pie sobre la alfombra, iluminado por el fuego del hogar, con su chaqueta moteada y su voz de hermano mayor que desea mantenerse tierno y al mismo tiempo autoritario con su recién llegado hermano viajero.

—Como cantante de boleros y todo eso —me dijo con dulce voz de mando—, la tal Rosita es una verdadera birria. Un fraude, vamos. Se anuncia como la reina de la guaracha, pero te aseguro que sólo es la reina de la perdición de los hombres. Temo por el pobre Máximo. Porque sospecho que esa mujer, que es una verdadera furcia, al haber perdido todo su dinero en el juego, ha decidido desplumar a nuestro hermano. No le encuentro otra explicación a esta fuga tan anormal. Porque ya me dirás qué puede haber visto en nuestro hermano que la haya seducido. Porque tú y yo sabemos muy bien cómo es Máximo...

Hizo una pausa para terminar su copa de jerez.

—Sí. La verdad —dije— es que no puede ser más raro este asunto. Es lo último que podía esperarme de Máximo.

—Pero mira por dónde, a lo mejor nuestro hermano nos vuelve al menos espabilado y se deja ya para siempre de tanta pamplina y tanto encierro cursi en el ático. ¿No te parece? Porque de lo que estoy seguro es de que volverá. De aventuras semejantes siempre se vuelve. Muchas veces con el rabo entre las piernas y la cabeza baja, pero se vuelve. Máximo volverá, aunque me temo que prácticamente arruinado por esa mujer. Pero siempre será mejor verle algo espabilado y con alguna experiencia en la vida que como estaba antes, que era insoportable. Y eso que tú no lo viste en los últimos tiempos.

Cuando te fuiste a la dichosa África, se dedicó sólo a envejecer. Y es que no salía nunca a la calle, no le daba nunca el aire. Recuerdo un día que subí a verle al ático. Le estaban dejando en la alfombrilla de la puerta la bandeja de la comida, como siempre. Llamé y, cuando me abrió, vi a un anciano. Tenía la cabeza salvajemente erizada de cabellos grises y hablaba todo el rato consigo mismo, en voz baja, inmerso en misteriosas especulaciones, discutiendo rabiosamente con novias inventadas a las que maldecía e injuriaba... Como si al marcharte al África tú, que eras su única alegría, él hubiera decidido envejecer...

—Todo eso es ridículo y, además, es literatura —le interrumpí furioso—. ¿Cómo de un día para otro una persona puede tener tantos cabellos grises y envejecer de una forma tan repentina? Y otra cosa: ¿cómo sabes que hablaba de novias inventadas y no, por ejemplo, de los piratas del golfo de Maracaibo?

Antonio me miró muy enojado. Luego, suavizó su rictus severo y bromeó:

—Mira, Enrique. Lo que acabas de decir, por mucho que te moleste, también es literatura. Y recuerda, además, que en la escuela tenías matrícula de honor en esa asignatura. De casta le viene al galgo. Por mucho que ahora tú quieras hacerte pasar por un camionero, o por un motorista de la París-Dakar.

Hundí de nuevo mi mirada en el ángel obeso de la alfombra. Era preferible eso a tener que soportar la suficiencia de mi engreído hermano. Además, mi sexto sentido me indicaba que a veces hay una señal escondida en ciertos detalles que parecen a primera vista nimiedades: una señal que acude en nuestro auxilio en el momento menos pensado y que nos permite escapar de la embarazosa situación en la que nos sentimos atrapados orientándonos hacia direcciones mas justas. No soy supersticioso, pero algo sí lo soy a la hora de contar con la ayuda, que casi siempre ha sido magnífica para mí, de ciertos detalles en los que he hundido de pronto mi mirada y que han terminado por abrirme nuevas perspectivas, parajes insospechados.

Esa noche, en casa de mi hermano, no iba a ser una excepción, aunque también es cierto que la segunda vez que le pedí ayuda al ángel obeso de la alfombra, la cosa tampoco funcionó, no fue en absoluto suficiente. Tuve que esperar a un tercer hundimiento de mi mirada en la maldita alfombra.

—Máximo, para qué engañarnos, pasó una temporada completamente loco y envejeciendo sin parar —prosiguió Antonio, espiándome en las pausas que hacía para ver si estaba aumentando mi indignación—. Hasta que un día, milagrosamente, todo cambió y empezó a mostrarse sereno y calmo y hasta rejuvenecido. Pero eso duró, para qué engañarnos, sólo una semana, los siete u ocho días que siguieron a la muerte de nuestro padre.

—¿Se alegró de la muerte de papá? —pregunté dando por sentado que, en efecto, había sido así.

—Sí. Posiblemente. Tras esa tregua en su locura, provocada tal vez por la tranquilidad que debió darle la desaparición física de quien siempre parecía dispuesto a maltratarle, volvió a las andadas, volvió a la demencia con una fuerza impresionante pero también, a fin de cuentas, con una fuerza ya distinta, pues su locura, y ésa fue mi gran sorpresa, la trasladó a la calle, a todas esas calles que la luz de la luna llena ilumina cuando llega la noche...

—La luz de la luna llena —volví a interrumpirle furioso— ilumina todas las calles cuando llega la noche, las ilumina todas, ¿te enteras?, no unas cuantas como pretendes insinuar, sino todas, de modo que haz el favor de no decir más tonterías ni más poesía.

—Me parece —me respondió— que tú desconoces la existencia de sendas tenebrosas, de descensos al mundo de los muertos, de descensos a las calles del subsuelo donde nunca llega la luz de esa luna llena, de descensos a los infiernos en definitiva, allí donde el diablo sueña.

Me sacó ya del todo de quicio, entre otras cosas porque no sabía qué responderle; sentía que me estaba ganando, con su agilidad mental, la batalla.

—También el diablo tiene su luna —le dije finalmente.

—Será la luna de plata de Veracruz, de mi ciudad, de la ciudad donde nací.

Habíamos entrado ya definitivamente en esa atmósfera absurda de muchas de nuestras conversaciones y en la que nuestra misma relación se volvía, como si habláramos los dos dormidos, algo desencajada.

—Qué alivio no ser de Veracruz —dije entonces, con cierta torpeza.

Hizo Antonio como si no hubiera oído nada, y decidió establecer una tregua y sentarse. Ensimismado como estaba con sus historias, no eligió ningún sillón junto al fuego, sino la horrible silla de primitivo diseño que mi padre le comprara a un vendedor ambulante en Veracruz. Esa silla siempre me ha parecido el asiento ideal para un hombre del paleolítico.

Aficionado desde siempre a narrar, Antonio, que parecía sentirse el anciano de los dichos infalibles, prosiguió así desde su silla de arte tan viejo como primitivo:

—Si me permites, continúo con el caso de Máximo. Como tú antes has sugerido, la muerte de nuestro padre le liberó de todo tipo de complejos. Estoy casi seguro de ello. No en vano se volvió de repente callejero y, sobre todo, noctámbulo y comenzó a frecuentar cabarets y a enviar ramos de rosas a las guapas cantantes, y en fin, el resto ya lo puedes imaginar. Rosita Boom Boom Romero —ni titubeó ni esbozó sonrisa alguna al pronunciar ese nombre que, una vez más, me pareció ridículo en sus labios de hombre serio— debió ser la primera en ver la oportunidad inigualable que el destino le ofrecía de pulirse la herencia de un apocado y joven millonario imbécil.

A diferencia de mí, a Antonio no le interesaron nunca demasiado los detalles, las señales ocultas que hay detrás de ciertas en apariencia nimiedades. Yo creo que esa incapacidad suya para hundir de repente la mirada en ellas debió de ser para el pobre Antonio, aun sin él saberlo, una de sus limitaciones más graves a la hora de escribir esos libros de viajes en los que, por simular que había estado en esos lugares de los que hablaba, creía que exhibía una potente y deslumbrante imaginación.

No sé cómo fue, pero lo cierto es que, esa noche, al hundir por tercera vez mi mirada en el ángel obeso de la alfombra, lo que había empezado siendo una simple intuición terminó por convertirse en una realidad que mi sexto sentido captó finalmente con toda precisión al enviarme un claro aviso que me advertía de que el hombre que se encontraba frente a mí, es decir, mi hermano mayor el narrador, podía estar actuando en aquel momento como un diablo obeso que, en lucha invisible con el ángel de la alfombra, intentaba retrasar el momento en que yo descubriría que todo aquello que me estaba contando no era más que una simple historia inventada.

Ganó la batalla mi ángel, y su señal escondida acudió en mi auxilio —ya dicen que a la tercera va la vencida— y me hizo ver que mi hermano, al que tanto le gustaba jactarse de su capacidad de embaucador, podía estar desde hacía un buen rato obrando de mala fe, ejerciendo de encantador de serpientes, es decir, mintiéndome como un verdadero cerdo. Como un cerdo presumido, porque Antonio era un engreído al que le gustaba mucho escucharse a sí mismo, y era también un insoportable pedante que se creía el narrador por excelencia de aquel inmueble y luchaba por demostrarlo cuando, después de todo, nadie tenía el menor interés en discutírselo.

Ganó la batalla mi ángel y comprendí que lo más probable era que todo aquello que me estaba contando sobre Máximo fuera simplemente una historia inventada. Era lo más probable, no sólo porque ya de por sí resultaba difícil creer que nuestro apocado hermano se hubiera comportado como un verdadero Tenorio e iniciado un romance con una mulata espectacular, sino también porque de vez en cuando me parecía ver en la cara de Antonio el espejo de su alma neciamente satisfecha de ser tan ingeniosa al estar engañándome con su historia urdida al calor del fuego del hogar.

Pero poco le duró el engaño, pronto confirmé que eran ciertas mis sospechas de que Antonio se había inventado toda aquella historia sobre Máximo. Siempre que me pregunto por qué mi hermano Antonio obró, aquel día, de aquella forma, me digo que debió de ser por puro temor —totalmente infundado, pues no estaba nada interesado en competir con él en nada, y como narrador o literato aún menos— a que yo le superara a la hora de exhibir un buen ramillete de historias, pues no en vano yo llegaba de África y, tras mi viaje casi brujo hasta la alfombra de su casa, lo hacía contando con un amplio repertorio de fabulosas historias sobre ese continente: historias que, para colmo, eran vividas y muy sentidas y sufridas, historias reales como la vida misma, historias no leídas y aprendidas en libros de pipa apagada, historias no inventadas al calor del hogar, historias, historias de verdad.

—Oh, vamos —le dije—, ya está bien de inventar y de jugar conmigo. ¿Crees que no me he dado cuenta de que me estás engañando?

Por la cara que puso vi que no andaba desencaminado.

—Ahora mismo —le dije— voy a subir al ático, que ya es hora de que salude a Máximo. Se acabó la broma.

Cambió su cara de hombre descubierto en pleno rosario de mentiras por un rostro de notable indignación. Al ver arruinada su pequeña fiesta de la invención, avanzó hacia mí y, poniéndome una mano en el hombro, me dijo:

—A Dios le gustan las bromas.

Sigo preguntándome hoy en día por qué me dijo una cosa así. En aquel momento yo pensé —y es posible que estuviera en lo cierto— que era porque él se creía Dios desde que su recién publicado tercer libro, el de los mongoles, había sido bien recibido y hasta celebrado —según se encargó de repetirme varias veces aquella noche— por la crítica más influyente, muy especialmente a causa de la brillantez del séptimo capítulo, en el que el narrador —hace poco lo leí y casi me muero de vergüenza ajena ante tanto disparate— cuenta cómo en una remota posada de la Mongolia interior conversó con el fantasma del franciscano Guillermo de Rubruk, embajador de San Luis en la corte de Mangu, en Karakorum...

—Para ser Dios te encuentro muy gordo —le dije.

Me sentía muy enojado por el engaño, y no estaba dispuesto a quedarme un minuto más a su lado. Decidí marcharme.

—¡Espera! —gritó tratando de retenerme al ver que enfilaba el pasillo en busca de la puerta de salida.

—Adiós, escritor. Ya nos veremos mañana. Ahora sigue inventando tú solito.

—¡Espera! —Inició una larga perorata, persiguiéndome por el pasillo—. Tienes que comprenderme y perdonarme. Para mí son todo un martirio los pasos de nuestro hermanito por el piso de arriba, sobre todo cuando al amanecer y en medio del silencio de esa hora tan recogida y magnífica cruje, de pronto y de una forma terrible, no sólo el techo sino la lámpara de mi dormitorio, que se mueve y parece que va a caerse. ¿Me comprendes ahora? No, claro. ¿Cómo vas a hacer un esfuerzo así? Tú sólo comprendes el espíritu de los pigmeos y de los bereberes y, sobre todo, el de los beduinos. ¿No es eso? África, África y África...

En ese momento alcancé la puerta de salida.

—Adiós, escritor. Ahora sigue inventando, pero hazlo frente a un espejo.

Intentó que me apiadara de él. Puso una cara angelical y, bajando la vista, dijo:

—Preferiría seguir inventando ante ti.

—Adiós, escritor —le repetí, y lo dejé en pleno delirio inventivo. Para mí era una de las cosas más insoportables del mundo aquella absurda necesidad suya de estar demostrando a cada momento que sabía inventar historias y que era escritor. Y todavía hoy, aquí en el sur de Mallorca, frente a este mar sereno de este día de agosto, recuerdo todo aquello como una pesadilla.

Aquella noche le dejé en plena perorata. «Que invente él», me dije mientras subía al ático, donde me llevé la alegría de ver que había luz —tenue, pero luz a fin de cuentas— bajo la puerta. No me había para nada equivocado. Máximo, en ningún momento, se había movido de su ático. ¿Cómo iba a irse al Caribe con una mulata? Y aunque la pálida iluminación presagiaba lo peor, es decir, una decoración lúgubre de tumba etrusca con su disposición funeral incluida, yo lo único que deseaba era poder abrazar a mi pobre y querido, desvalido hermano, Máximo, el genio de la familia.

Me esperaba más de una sorpresa. La primera fue el tablón de madera que colgaba de su puerta. En él acababan de escribir con pintura muy fresca, más reciente imposible: «Máximo Tenorio. Colección de óleos sobre el tema fundamental de las esposas perfectas.»

Lo acababan de escribir y pintar para mí, ésa fue mi primera impresión, y no me equivocaba. Llamé excitado a la puerta y −segunda y gran sorpresa− me abrió un Máximo de aspecto físico muy mejorado, pues sonreía. Continuaba con su punto de locura, eso era evidente. Pero parecía una locura más contenida. Como si la incorporación de cierto sentido del humor hubiera aireado por fin su lúgubre ático. Y sentido del humor era que, por ejemplo, su casa no fuera una tumba etrusca, como me temía, sino una interesante parodia de las salas de exposiciones.

Me abrazó muy cariñoso. Era indudable que me había oído llegar al inmueble y había estado aguardando mi visita con ganas de sorprenderme en algo.

−Ahora soy miope −dijo, y se colocó unas gafas sin patillas, prendidas de la nariz por una pinza metálica, que acentuaban su aire tímido e intelectual.

−Te encuentro mucho mejor. ¿Cómo ha sido esto? −fue todo lo que acerté a decirle.

−A ti también te veo muy bien. Rostro curtido por el sol de África y ganas de volver a la civilización y visitar salas de exposiciones.

Al decir esto, y ahí llegó para mí la tercera sorpresa, estalló en una gran carcajada feliz, a la que siguió la lenta operación de encender uno de aquellos puros que habían pertenecido a la amplia colección de tabaco veracruzano de nuestro padre.

−Papá murió mientras tú cazabas leones. A él sólo le agradezco el nombre que me puso. Máximo Tenorio. Es un buen nombre para un pintor.

Dijo eso y se quedó mirando enigmáticamente el humo del puro. Como yo no sabía qué decirle, se produjo un breve silencio. Hasta que se me ocurrió preguntarle si pensaba retrasar mucho el momento en que yo podría visitar aquella sala de exposiciones en que se había convertido su ático. Cuando le dije eso, se quedó riendo con una felicidad que no le conocía, una felicidad misteriosa que pronto vi que no lo era tanto: en realidad él simplemente se reía de sí mismo y de su pintura y de la pintura en general. A diferencia del solemne Antonio, su actitud ante el arte era más libre y en cualquier caso mucho menos respetuosa. Para mí, representó todo un inmenso alivio que hasta en ese aspecto hubiera mejorado mi querido Máximo.

—Así que ahora pintas esposas perfectas —le dije guiñándole un ojo.

—Ayúdame —me respondió enigmáticamente. Le pregunté algo alarmado en qué debía ayudarle, y entonces él aclaró el misterio. Se trataba de que, a pesar de lo avanzado de la hora, le ayudara a cambiar de sitio algunos de sus cuadros más voluminosos. Estaba muy claro lo que pretendía. Se trataba de trajinar pinturas de esposas perfectas de un lado para otro y organizarle una completa serenata y un ruido imponente al señor del batín de seda de la tercera planta, al presumido narrador de historias inventadas.

Durante unos minutos hicimos un ruido espantoso. Terminado el ajetreo, hundí mi mirada por fin en algunos de los cuadros.

—Todos giran en torno al tema de las esposas esclavas —me dijo Máximo.

—¿Pero no has escrito en la puerta que son esposas perfectas? —traté de corregirle.

Máximo me sonrió, como queriéndome decir que no comprendía nada. Y poco después se explicó:

—¿Pero no ves que para el caso es lo mismo? Para que una esposa sea perfecta tiene que ser una esclava. No sé si ves lo que quiero decirte. Es la única manera de que un matrimonio sea sólido. Todos los otros ensayos que se han hecho nunca han servido de nada. Mira el mundo de hoy. Nunca hasta ahora había existido un número tan grande de parejas separadas. Es más, todas las que conozco lo son...

Aprovechando un leve titubeo en lo que decía, iba yo a intervenir dándole mi opinión sobre el asunto cuando prácticamente se echó sobre mí, algo nervioso de repente, y se disculpó por no haberme ofrecido uno de los puros de nuestro padre.

—Vamos —me dijo—. Fúmate uno a la salud de este pobre hermano tuyo solitario que se alegra tanto de verte regresar del África.

A su salud comencé a fumarme el puro mientras me dedicaba a contemplar sus pinturas. En todas aparecía como figura central una mujer, generalmente flaca, de bellísimas facciones. A esas mujeres las acompañaba siempre un texto que desembocaba siempre en la misma idea: señalar la esclavitud exigible a cualquier mujer que desee que su matrimonio llegue a buen puerto.

Recuerdo muy especialmente uno de esos textos, y no porque me quedara desde aquel día grabado en la memoria, sino porque pertenece al cuadro que tengo colgado sobre la cama en mi dormitorio de Barcelona: «Seré tu secretaria, ama de llaves, cocinera, amante, esposa, amiga, monógama, doméstica, adoradora, criada para todo, servil hasta que la muerte nos separe, lánguida.»

Reconozco que la primera visión de esos cuadros me desconcertó. Para evitar que me preguntara mi opinión desvié nuestra conversación hacia el tema del profundo fastidio que sentía yo al tener que soportar a un hermano tan pomposo y tan pesado como Antonio.

—Está muy pelmazo —le dije— con lo de su carrera de escritor. No he hecho más que entrar en su casa y ha comenzado a inventarse que tú te habías fugado al Caribe con una mulata despampanante, una cantante de guarachas llamada Boom Boom no sé qué...

—Rosita Boom Boom Romero —dijo Máximo sin apenas inmutarse.

—¡Ah! ¿Entonces existe? —pregunté sorprendido.

—Es la amante de Antonio, debe estar por llegar al inmueble. Viene casi cada noche cuando termina de cantar en un cabaret de mala muerte de las Ramblas. Pero ahora que lo pienso..., qué desfachatez la de Antonio al inventarse una cosa así de mí.

—¿Es su amante? ¿Y Marta lo sabe?

—Ahí está el meollo de la cuestión. Va a casarse muy pronto con Marta. Son ya demasiados años de novios. Le toca casarse pronto y está angustiado. Al poco de irte tú se convirtió en uno de esos desesperados que, al ver que les queda poco para perder su libertad, salen a las calles al anochecer, cuando se encienden las primeras luces, a abordar a todas las mujeres solas que encuentran por los bares de diseño. En uno de ellos, o tal vez en el mismo cabaret, vete tú a saber, debió conocer a esa mulata con la que, por cierto, no para de joder en toda la noche, últimamente siempre con la música de fondo de sus boleros... Créeme, es una verdadera pesadilla. ¿Comprendes ahora que trate de vengarme de su alboroto con mi alboroto? Algún día acabaré por chantajearle y decirle que si no remiten sus ruidos de semental se lo contaré todo a Marta... Qué desfachatez la de Antonio... Debe soñar con fugarse al Caribe con la maldita mulata y no se atreve a hacerlo y me involucra a mí en sus húmedos deseos. Me parece horrible que se haya inventado todo eso sobre mí...

Aquella noche, tras una entrañable y larga conversación con el pobre Máximo, volví a dormir, después de tanto tiempo, en mi cama de siempre, con mi pijama de siempre, en mi dormitorio de la segunda planta, debajo mismo del de Antonio, que me dio la noche con su continua jodienda con Rosita. Aunque cambié de cuarto, el escándalo y la desesperación prematrimonial de Antonio continuaron provocando en mí graves insomnios en los días que siguieron. Esto, ya de por sí bastante fastidioso, unido a otros problemas de todo tipo, hizo que muy pronto me sintiera como un desplazado en el inmueble familiar.

Me volví un ser con tendencia hacia lo errante, el viaje y

el extravío. Durante un tiempo, viajé por Barcelona. Encontré nuevos amigos y un trabajo —no lo necesitaba, pero me convenía dedicarme a algo, y éste me pareció entonces sencillamente fascinante— como actor secundario en diversas películas, y durante toda esa larga temporada, envuelto en una discreta nube de droga, no pisé demasiado el inmueble de Sant Gervasi.

A veces, muy de vez en cuando, acudía a él, iba a dormir a mi cama de la segunda planta y me probaba mi pijama de siempre. Pero todo enseguida se volvía un martirio y no tardaba en comprobar que mi sitio no era aquél y que si había algún lugar para mí ése estaba muy lejos de lo que yo durante un tiempo había pensado que era el centro del mundo, de mi mundo. Y eso que acudía al inmueble siempre con la intención de no obsesionarme con la eterna despedida de soltero de Antonio —sexo y boleros con Rosita, siempre hasta las más altas horas de la madrugada— ni con las rarezas y la risa triste de aquel ser entrañable y a la deriva que se llamaba Máximo y que habitaba sin duda en la más peligrosa de las torres de marfil.

Me convertí en el desplazado por excelencia de aquel inmueble. Alguien leyó esto en mis ojos, en la estación de Francia, recuerdo que fue el mismo día del incendio del Chiado, el barrio antiguo de Lisboa. Alguien lo leyó en mis ojos, en el viejo bar de la estación de Francia, mientras me hablaba de viajar a la India y me lo decía en un catalán bastante exótico.

Que era un desplazado lo vio en mis ojos una mística australiana, experta jugadora de bingo y fanática estudiante del catalán, enamorada de la India. Era una gorda infame, una de esas jóvenes simplonas que recuerdan a ciertas criadas de antaño que, con un pañuelo en la cabeza y por ser tan comunes y poco artísticas, a veces acababan seduciendo a sus señores. Nancy, que así se llamaba la australiana, me sedujo casi desde el primer momento. Supongo que por ser esencialmente gorda y tonta, y porque me gustaba correrme de placer entre sus inmensos senos acogedores, y porque nada me divertía tanto como su frescura imbécil y su infinita vulgaridad. Y, además, yo deseaba seguir en contacto con lo que llamamos la monstruosidad, pues entonces aún estaba convencido de que esas experiencias, a pesar de ser más bien duras y amargas, servían a la larga para moverse mejor por la vida. Y es que yo estaba seguro de que enseñaba más la calle que los libros y no quería pudrirme como mis hermanos cultos y pensaba que mi contacto directo con el horror y la vulgaridad me harían más humano y me curtirían lo suficiente para llegar a ser algún día un héroe de la vida y no el típico aficionado que ve los toros desde la barrera.

Yo buscaba las experiencias de la vida, y pensé que la aparición de la gorda australiana iba a permitirme escapar del espacio familiar, raro y decadente, de aquellos habitantes de sendas e insanas torres de marfil que eran mis dos hermanos artistas. Yo buscaba ampliar lo que creía que había comenzado a estudiar de cerca en mi viaje al África. Yo buscaba, por ejemplo, conocer aún más de cerca el horror y monstruosidad del mundo. Yo buscaba vivir, no pudrirme en un viejo salón burgués viendo los toros desde la barrera.

Pero hoy debo confesar que no alcancé ninguna visión interesante de toda esa monstruosidad, por la sencilla razón de que si uno vive en la monstruosidad misma difícilmente puede verla ni verse a sí mismo como podría haberlo hecho de tener la inteligencia de saber mirarlo todo desde fuera, hundiendo la mirada con la máxima profundidad posible –como hacen los viejos o los pálidos estudiosos de la vida–, es decir, de haberme decidido a mirar el mundo y a uno mismo desde la barrera.

Y es que hoy pienso que si por vida hay que entender protagonismo, implicación, el grado de lo que en sus entrañas podamos percibir, y por tanto aprender, tiende a cero.

La vida no tiene entrañas. No es humana y tiende a cero y yo, además, mientras estuve implicado en ella, no llegué a conocer nunca con exactitud su monstruosidad real –y eso que probé todas las mieles de su horror–, a pesar de que, por ejemplo, en aquellos días y buscando el estudio incesante de lo Peor, llegué a viajar a Sidney y visité a la simiesca familia de

Nancy, siempre pagando yo, por supuesto, los gastos de viaje y diciéndole encima, supongo que buscando siempre lo más monstruoso, que estaba muy enamorado de ella, lo cual quizás tenía un fondo de verdad, pues era innegable que estaba encantado con su risa boba, sus cachondos pechos monumentales y su nariz respingona de gorda procedente de un país de canguros que siempre había sido lo último que me había propuesto conocer y que, estúpido de mí, tratando de avanzar en mi inútil aprendizaje del horror, acabé visitando en compañía de aquel primor de gorda, la dulce Nancy, tan mística como buena en la cama y en el bingo y al mismo tiempo un magnífico portento de sentido de la esclavitud y de vulgaridad extrema. Como Australia, como Oceanía misma, que, con respecto al África o a la Europa de los barbechos o al solar en ruinas español, poco tenía que envidiar en cuanto a atmósfera propicia para la depresión total.

De Sidney viajamos a la India, y estuve en ese laberíntico país, y se puede decir que no entendí nada. Estuve todo el tiempo como perdido, siempre sin fuerza ni capacidad para entender algo. Fui a la India movido por la curiosidad que despertaba en mí ese gran país, y anduve un poco a su búsqueda. Como carecía de una cultura filosófica, religiosa, hindú, todo ese universo me resultó incomprensible. En realidad yo carecía —y estaba empeñado en seguir así— de toda cultura, lo que en la India agrandó aún más, casi de modo escandaloso, mi ojo de occidental, ya de por sí, por mi condición de tal, ignorante ante los misterios de ese país. Por si fuera poco, sufrí el accidente. Perdí el brazo.

Algo aprendí, eso sí, en la India. Aparte de lo brutal que resulta el dolor físico, la inolvidable lección de que no hay que ser nunca irreverente con las divinidades de los demás. A lo sumo con las de uno mismo, como hice yo el día en que descendí a los infiernos en el puerto de Veracruz. Pero nunca con las de los demás. Eso lo aprendí cuando fui a Madrás a ver el templo de Siva Horrífico —que es la manifestación de Siva como traidor— y no me dejaron entrar, pues está prohibido a los que no son hindúes, y entonces me encaminé a Goha, cerca de Kerala, a un lugar desierto y sobrecogedor, donde me habían dicho que había un templo de Siva Horrífico abandonado. Allí quise vengarme de él haciendo el amor no sé cuántas veces con Nancy ante su abandonada estatua, lo hice con un entusiasmo fuera de lo común hasta que de pronto, como si nuestro estruendo y señales de vida hubieran hecho temblar a aquellas ruinas, se vino abajo un muro y perdí un brazo.

Tardé algo en darme cuenta de que me había quedado manco para siempre, pues no descubrí mi desgracia hasta que mi brazo se infectó y ya no hubo otro remedio que amputar. Recuerdo con espanto aquellos días en el hospital de Kerala, aunque prefiero no detenerme demasiado en el insoportable sufrimiento que padecí, un tormento que cualquier persona sensata desea atajar arrojándose directamente por la ventana del décimo piso del hospital. Un dolor que si algún día se le ocurre reaparecer en mi vida tendrá una respuesta inmediata, la que no supe tener en Kerala: un manotazo al dolor en plena cara y luego un vuelo desde la ventana del hospital al frío pavimento y a la eternidad misma. Porque no estoy dispuesto a pasar por otro trance de dolor físico como aquél. Fui valiente en esa ocasión, resistí, me porté como un hombre. Pero a fin de cuentas el resultado de todo aquello, cuando tras dos meses me dieron de alta en el hospital, fue bien sencillo: me había quedado manco para el resto de mis días.

Las desgracias nunca vienen solas. Para colmo, como si se tratara de otra venganza de aquella manifestación de Siva como traidor, me sucedió lo último que un Tenorio puede en tan dramáticos momentos esperar. La gorda y estúpida Nancy, de la que yo siempre pensé que no podría nunca enamorarse nadie de ella, conoció, mientras me cortaban el brazo en el hospital, a un místico madrileño, un joven calvo budista cuyos pensamientos eran lo más parecido al soconusco con picatostes que he visto en mi vida, un joven calvo que la encandiló y con el que se fue a pastar hierba a las laderas del Nepal después de tener el detalle, no sé si místico o burlón, de enviarme un ramo de flores algo marchitas al hospital.

Destrozado, regresé a Barcelona.

Perplejo, cornudo y manco, llegué a mi ciudad en peor estado que cuando regresé de África, y eso que de allí había vuelto convertido en una piltrafa humana. Pero es que perder un brazo siempre será perder un brazo. Se puede volver de África lisiado mentalmente, pero te puedes recuperar. En cambio, no puede decirse lo mismo si vuelves lisiado físicamente de Asia. Eso ya no tendrá nunca solución.

Destrozado, regresé a Barcelona. Hundido y convertido en un pobre manco, encaminé mis pasos hacia el inmueble familiar de Sant Gervasi, donde me aguardaba, en la sagrada tercera planta, mi hermano Antonio, el escritor de la familia, mi hermano el sedentario, vestido con la bata de seda de nuestro padre y acompañado en esta ocasión por su futura esposa Marta, ya en plenos preparativos de boda.

Aunque sólo parecían interesarles algunos detalles —y encima los más anecdóticos— de cómo había perdido el brazo, terminé por explayarme hablando de otros temas, hablando sobre todo de lo incomprensible que para mí había resultado la India y ya no digamos el que la gorda Nancy pudiera gustar a otros hombres, aunque éstos fueran pobres budistas calvos.

—¿No crees que ya has hecho bastantes tonterías y viajes? Hasta has perdido un brazo. ¿No habrá llegado la hora de que sientes la cabeza? ¿No crees que ya has despreciado lo suficiente la cultura, Barcelona o, por decirlo de otra forma, todo aquello que relacionas conmigo? —me interrumpió Antonio, en un tono tan agresivo como paternalista.

—A ti sí que te ha llegado la hora, maldita sea. La hora de abandonar este sofá y de creerte que andas viajando alrededor del mundo cuando sólo lo haces alrededor de este cuarto —le contesté con cierta agresividad, pues no andaba precisamente sobrado de humor tras la amputación del brazo.

Marta ni se inmutó. Se la veía serena, como si estar a las puertas del matrimonio la hubiera tranquilizado. Parecía salida de uno de los cuadros sobre esposas perfectas de Máximo.

Pregunté por Máximo.

Lo recuerdo como si fuera ahora. Sonaron las ocho en punto de la tarde en aquel maravilloso reloj de pared que nuestra madre había comprado a un anticuario de Berga. Las ocho campanadas sonaron contundentes, como queriéndome indicar que eran los ocho golpes secos que acababa de darme la India y la pérdida del brazo y la vida misma en plena frente. Leí la graciosa leyenda inscrita en el reloj por artesano anónimo: «Quien demasiado me mira pierde su tiempo.» Y sonreí levemente. No me era fácil ocultar que estaba preocupado. Recuerdo muy bien lo que sentía. Yo pensaba: «Alguien me ha jodido.»

En ese momento vi que preguntar por Máximo, al igual que en una ocasión anterior, había dejado muy inquieto a Antonio, que fue a la cocina y regresó con tres copas de jerez y, poco después, ya algo más tranquilo y hablando como quien no da importancia a lo que anda diciendo, me comentó que, en efecto, ya sabía él que la India era incomprensible, pero no menos cierto era que había en esta vida muchas más cosas incomprensibles, y que la prueba la teníamos muy cerca de nosotros, precisamente en nuestra propia familia, en el pobre Máximo, que, por muy incomprensible que a mí pudiera parecerme, se había largado a vivir al Caribe con una mulata despampanante.

—Una mujer de bandera —añadió sin pestañear siquiera—. La cantante Rosita Boom Boom Romero, la reina del bolero, la guaracha y el cha-cha-chá.

La verdad nunca parece verdadera. Esta escena habría sido la inquietante repetición de una ya vivida de no ser porque en esta ocasión Antonio no inventó nada, se limitó a contarme simplemente la verdad.

—En el fondo, sólo los grandes tímidos son personas realmente atrevidas, capaces de cualquier cosa, créame, por eso no me extraña demasiado que su hermano Máximo acabara fugándose de verdad con esa mulata.

Eso me ha dicho mi vecino el dentista, en la terraza de su casa y hundiendo una galleta en su café con leche. Eran las siete y media de esta tarde. Y yo le he sonreído al ver que me sonreía, pero lo he hecho tan sólo por educación. He sonreído, pero me era imposible olvidar que tan sólo media hora antes yo estaba angustiado como nunca en la terraza de al lado, en mi casa, con los nervios completamente destrozados por el domingo.

Los domingos son horribles. Si encima son de agosto, la combinación no puede ser ya más terrorífica. Y aunque igual que llegan se van, de poco consuelo sirve esto, pues siempre vuelven. Aunque, todo sea dicho, por muchos domingos de agosto que vuelvan, difícilmente habrá para mí alguno peor que el de hoy, nunca volverá a ser tan pesado el aire ni estarán tan vacías las calles de este pueblo como lo estaban hoy a las cuatro de la tarde cuando en mi casa, sentado en el centro de la terraza que da al normalmente —hoy a esa hora desierto— concurrido Paseo del Mar, me ha entrado un temblor extraño, seguido de una dificultad tan enorme para moverme que hasta me he sentido incapaz de recurrir a este cuaderno de los tres tucanes.

He sudado, por así decirlo, la gota más gruesa de mi frágil existencia de hombre de veintisiete años, viejo. Y me he quedado largo rato inmovilizado por el calor y la soledad, sin poder accionar un solo músculo de la cara ni dar el más mínimo paso, ni escapar a esa terrible situación que me tenía atrapado. Incapaz de hacer nada, sólo la mente parecía funcionarme con cierta normalidad y se esforzaba por viajar en el tiempo, y he comenzado a recordar las antiguas siestas de antaño en los días aquellos en que era niño y veraneábamos los tres hermanos con nuestro padre en Platja d'Aro, y el calor entonces también apretaba casi tanto como ha apretado este domingo, y nuestro padre, tras el sudoroso almuerzo de cada día, ordenaba la siesta y se retiraba a ese cuarto donde le oíamos hablar en voz alta, y en el que yo siempre pensé que se comunicaba con los pájaros —«Tiene la cabeza llena de pájaros», nos decía Antonio a Máximo y a mí, y le creíamos—, y en realidad lo único que le sucedía era que el pobre sufría los trastornos propios del mes de agosto y de ser viudo con tres hijos y tener que llevarlos a veranear, sobre todo tener que llevarse consigo al insufrible e inventivo hijo mayor, que, encima, se entretenía difamándole, contando a todo el mundo que su padre era un fenómeno de la naturaleza porque se comunicaba con todo tipo de pájaros.

He pensado en todo esto cuando más angustiado me encontraba, y me he acordado también de cuando tenía cinco años y me alzaba sobre las puntas de los pies para ver mejor la caja de pinturas situada al otro lado del codo de Máximo: gastados lápices de colores que no hacían más que presagiar su futuro destino artístico.

Y también me he acordado, ya cada vez más sofocado por el descomunal calor, de cuando Antonio montaba en bicicleta con el manillar muy bajo por las calles de Platja d'Aro, rodando despacio, con los pedales inmóviles y yo, marchando detrás, trataba de estar a la altura de las circunstancias, acelerando cuando su sandalia pisaba el pedal, esforzándome por mantenerme a su rueda trasera que crepitaba suavemente —como no creo que tarden mucho en hacerlo su leyenda y su literatura, que para mí, por mucho que se diga lo contrario, tienen los días contados, porque rechinan suavemente, como esa rueda—, siempre poco antes de dejarme con altivez irremisiblemente atrás, llorón y sin aliento, derrotado.

He recordado todo esto hoy cuando me he quedado tan extrañamente inmóvil, sin poder mover un solo músculo de la cara, completamente abatido y convencido de ser la víctima central del hastío que tan congénito es al verano. Hacia las cinco y cuarto de esta tarde he realizado un importante esfuerzo para salir de mi desesperación y moverme algo, pero sólo a las cinco y treinta eso me ha resultado posible, y lo ha sido gracias a que he hundido peligrosamente mi mirada en la negra manecilla de mi reloj, y no he tardado en ver que también el reloj padecía inmovilidad, pero estaba a punto de hacer su tradicional ademán de cada minuto, y entonces he comprendido que si se producía finalmente ese elástico sobresalto, podía poner todo un mundo en marcha.

He hundido tanto mi mirada en esa manecilla que, de pronto, se ha convertido en gigantesca, como si perteneciera al reloj de una estación de tren, y he visto entonces cómo de repente el reloj empezaba a quedar atrás y las columnas de la estación desfilaban lentamente ante mí llevándose consigo la bóveda y el andén y poniendo en marcha unos vagones de tren que circulaban en dirección diametralmente opuesta al verano.

Ha sido, pues, a las cinco y media cuando he conseguido rebajar algo la sensación espantosa de completa inmovilidad, y entonces he ido resbalando poco a poco en la silla donde estaba sentado y, cuando ya casi estaba en el suelo, me he levantado todo lo que he podido tratando de ponerme erguido de nuevo, pero apenas he logrado ascender unos centímetros del nivel del suelo, lo cual ha sido en el fondo muy humillante y triste y, además, obviamente me ha dejado hundido y con serios motivos de alarma y angustia, pues he visto que había empezado a remitir algo el calor y que por el Paseo del Mar —es decir, a unos cuantos pasos de donde me encontraba yo colocado en posición tan rara— empezaban ya a circular algunas personas, y me ha entrado entonces un colosal pánico tan sólo de pensar que podía ser descubierto en esa posición por la familia de Felanitx, que me habría convertido en el lógico y comprensible blanco de sus miradas de profundo estupor y gigantesca extrañeza.

«Pero, Dios mío, qué hago así tan ridículo», me he repetido obsesivamente a mí mismo, tratando de salir como fuera de aquella posición tan enrevesada, cabeceando desesperadamente como quien escapa de la siesta más feroz. Hasta que por fin, alrededor de las siete, las ocultas fuerzas del tedio me han perdonado la vida y me han permitido empezar a moverme, y entonces me he dicho que mi extrema soledad de los últimos días me estaba perjudicando y que lo mejor que podía hacer era tratar de hablar con alguien —con mis vecinos, por ejemplo— y darme un baño de normalidad.

Perfectamente rasurado, con ropa limpia y muy perfumado, a las siete y cinco me he presentado en la casa adosada de la familia de Felanitx. Lo he hecho vestido de domingo —para que me vieran como uno de ellos— y con un disco de corridos y rancheras de un grupo de rock fronterizo del Besós, un barrio de la periferia de Barcelona. He regalado esos dramas mariachis y tiernas «machadas» a Clarita, en homenaje secreto a sus ojos verdes de mirada serena.

A causa de esto y también porque se han azorado al verme por vez primera en el interior de su casa y hundiendo, además, mi mirada en las fotos de sus numerosos antepasados, sus padres se han sentido poco menos que obligados a invitarme a salir a su terraza y merendar con ellos.

—Se nota que le gusta México —me ha comentado la madre ya en plena merienda.

Esta vez ha sido el dentista el que ha hundido peligrosamente su mirada. En mí. Ha sido como si quisiera devolverme mi inspección ocular de antes. Le he mirado yo también, con un cierto miedo o respeto, porque ese hombre tiene un físico tan peculiar como algo terrorífico: rostro huesudo, bigote negro a lo Emiliano Zapata, pelo blanco con reflejos pelirrojos echados hacia atrás, un timbre muy severo de voz, la nariz más aguileña que he visto en mi vida.

—Conteste, hombre, conteste —me ha dicho, y casi me ha intimidado, a pesar de que sonreía y parecía que estaba sólo de broma.

He contestado que, en efecto, México me gustaba mucho y que había estado el mes pasado visitándolo, y que de todo lo que había visto no había nada comparable a Veracruz con su luna de plata y sus playas lejanas, a las que, como cantaba el gran Agustín Lara, «algún día tendré que volver». No conocían para nada a don Agustín Lara. Les he cantado entonces *Granada*, al estilo de Mario Lanza, y les he dicho que también esa canción la compuso Lara. Se han quedado mirándome muy serios y hasta rígidos y en desconcertante silencio, como si, además, estuvieran aguardando explicaciones de por qué cantaba en su terraza y también de por qué deseaba tanto volver a la dichosa Veracruz.

—Pero ¿conocen *Granada* o no? —he preguntado.

—Sí —ha dicho la madre muy seria.

No he tardado en comprender que me había propuesto un baño de normalidad que me curara de tanta soledad y calor asfixiante del día y que sin embargo seguía haciendo y diciendo cosas poco comprensibles para gente tan normal como mis vecinos.

He tratado de no infundirles más desconcierto y he comenzado a narrar, de la forma más sencilla y desinhibida posible, aspectos turísticos de mi viaje del mes pasado a Veracruz, y les he contado mi visita a Antigua, el lugar donde Hernán Cortés barrenó las naves, y he reflexionado en voz alta acerca de lo importante que es saber encontrar la sustancia que constituye la felicidad y que, por bien raro que parezca, pues estamos más bien acostumbrados a escuchar siempre lo contrario, la felicidad no sólo existe sino que abunda en esta vida y sólo es necesario saber fijarse en los detalles menos vistosos, como lo demuestra el que tan fácilmente supiera encontrarla en noche de luna llena en Los Portales de Veracruz.

—No es necesario que nos explique todo eso —ha dicho el padre—. Nosotros somos felices, conocemos muy bien lo que es la felicidad.

La madre me ha sonreído, feliz. El padre, con su nariz aguileña, ha aspirado aire profundamente y ha hecho un elogio de la brisa de verano. Después, ha vuelto a hundir su mirada en mí y me ha parecido que dudaba totalmente de que yo conociera la sustancia de la felicidad, hasta que Clarita ha roto tan incómoda situación preguntándome cómo era que, teniendo discos, nunca se oía música en mi casa. Me he quedado unos instantes meditando la respuesta y, cuando ya me disponía a darla, me he llevado una buena sorpresa al ver que tanto Clarita como la madre se levantaban y entraban en la casa, como si tuvieran prisa por preparar la cena. Me he dicho si no sería que estaban obedeciendo a una señal y orden del padre, al que siempre he notado poco dispuesto a que intime excesivamente con las mujeres de su feudo familiar.

Se ha quedado en la terraza la niña de cinco años, la encantadora Berta, escuchando con cara de no entender una sola palabra de lo que he comenzado yo a contarle a su padre acerca del antiguo puerto de la Vera Cruz y de lo mucho que me gustaría volver a sus playas lejanas, cosa que sin embargo no pienso nunca hacer ya que, pensándolo bien, la nostalgia de un lugar enriquece siempre que se conserve como nostalgia, pero su recuperación significa la muerte.

—O sea que es usted nostálgico —me ha dicho el dentista, y ha encendido un cigarrillo y ha aspirado largamente una bocanada hundiendo las mejillas de su inquietante huesudo rostro.

Enigmático me ha parecido cierto fenómeno que se estaba apoderando de mi voluntad y que en ese momento he detectado. Me refiero al hecho de que yo hasta ese momento en la terraza no había contado nada que no estuviera escrito ya en este cuaderno de los tres tucanes.

Eso me ha llevado a preguntarme si no estaría corriendo el peligro de excluir y de borrar, tarde o temprano, de mi vida todo lo que no incluya en estas páginas.

Me habría gustado poder comunicarle esta inquietud mía al dentista y poder decirle también que todo eso me traía la memoria de un fenómeno similar que se producía cuando regresaba de uno de mis viajes y la versión que daba del mismo a la primera persona que me preguntaba excluía para siempre todas las otras versiones posibles y se convertía automáticamente en la definitiva, ya que después era incapaz de modificarla ni en el más mínimo detalle.

También me habría gustado poder decirle que este fenómeno me traía la memoria de otro también similar, que tenía como escenario mi propia ciudad natal, donde mis pequeñas simpatías innatas me arrastraban hacia determinados portales que parecían envolverme con su abrazo mientras que otros los percibía siempre como hostiles y los expulsaba de mi vida a diario.

Me habría gustado mucho poder comentarle todo esto al señor dentista y que él me entendiera e incluso aportara nuevas ideas, pero yo tenía la impresión de que con mi vecino sólo podía ser normal y decirle cosas sencillas que no escaparan a su impecable sentido común de hombre de pueblo acostumbrado al espionaje de las dentaduras ajenas.

Yo tenía esa impresión y por eso no ha sido extraño que de nuevo haya vuelto a oír esa especie de consigna interior que me recomendaba ser normal, ser como los demás —como mis vecinos sobre todo—, por mucho que sintiera deseos de elevar el nivel de la conversación con el dentista y, de paso, deshacer entuertos, ciertos malentendidos que notaba yo que se estaban creando. Porque percibía yo, por ejemplo, que él me estaba viendo como un consumado nostálgico de Veracruz cuando en realidad sería más interesante que no desconociera que mi melancolía era del todo impostada.

Pero, claro está, cualquiera se atrevía a decirle que yo me había inventado ese sentimiento de nostalgia hacia aquellas playas lejanas por la sencilla y práctica razón de que si carecía de nostalgia alguna —junto a la memoria, según había podido averiguar, una de las dos materias primas fundamentales para cualquier narrador que se precie—, nunca podría considerarme, aunque tan sólo fuera en secreto, un escritor de pleno derecho, un escritor de verdad.

Pero no. Yo nada de esto le podía decir. Tenía que ser lo más normal posible con el señor dentista y no decirle nada raro que le pudiera espantar, ser en definitiva como los demás y no tratar de explicarle, por ejemplo, que con respecto a México yo me identificaba más con el tema de Rulfo en *Pedro Páramo* —el tema del regreso, por eso el héroe es un muerto, ¿y qué soy yo sino un derrotado en la vida?— que con el de la expulsión del Paraíso, que es de lo que trata *Bajo el volcán*, de Malcolm Lowry.

No y no. Nada de todo eso podía yo decirle si no quería que pensara que estaba loco, si no quería verme pronto expulsado del pequeño paraíso de aquella terraza contigua a la mía.

De modo que me he limitado a responderle:

–Sí, señor. Ya ve. Soy muy nostálgico.

Pero entonces me ha sonreído de una forma extraña. Como si en el fondo se sintiera decepcionado de mi respuesta tan parca. He comprendido que ser tan excesivamente normal también me hacía correr el riesgo de ser pronto invitado a abandonar ese santuario familiar. Y he buscado decirle algo que le chocara un poco y se me ha ido la mano, o la lengua en este caso, y no he tenido una idea mejor que preguntarle, a boca de jarro además, si había leído *Bajo el volcán*.

Se me ha quedado mirando con una cara amenazante.

–Yo no leo –me ha dicho finalmente.

«Dios mío», he pensado. Entonces, para congraciarme con él, le he explicado que yo leo desde hace sólo dos años y le he contado que el resto de mi vida estuve huyendo siempre de los libros, pero que últimamente, tal vez porque necesitaba un período de cierto recogimiento dentro de mi maltratada existencia, me he refugiado en los libros.

–Yo no leo, pero eso no significa que algún día no pueda decidirme a leer, de modo que no es necesario que se disculpe –me ha aclarado entonces él, bien sonriente.

Para cerrar ya de una vez por todas este peligroso incidente he terminado prometiéndole que si algún día voy a Palma le compraré el libro de Lowry, del que tengo la intuición de que podría ayudarle a pasar divinamente el verano y también a comprender –me ha mirado sin el menor entusiasmo y hasta con evidente incomodidad– el tipo concreto de nostalgia que yo sentía por el incomparable puerto de Veracruz.

En un último intento de congeniar con él, me he puesto a explicarle todo aquello que tal vez no había sabido él ver en nuestro entrañable –he remarcado el adjetivo– viaje del viernes al mercado de Sineu, y de ahí he pasado a hablarle de los Tenorio, de mis dos hermanos y de la fama literaria del mayor y de la extrema timidez del otro ante las mujeres, y he enlazado todo esto con la descripción minuciosa de mi lamentable viaje al horror de África. Y luego he pasado a hablarle de la muerte de nuestro padre, de mis amores con la gorda Nancy, de mi viaje a la India, donde no entendí nada, de la espantosa pérdida de mi brazo izquierdo, del robo del peine de Botero, de la irrupción de una cantante de boleros en la vida de mi hermano Antonio y de cómo éste, jactándose de ser un gran embaucador, me hizo creer, a mi vuelta de África, que esa amante suya se había fugado al Caribe nada menos que con mi querido pintor de tumba etrusca, el pobre Máximo.

He concluido diciéndole que me sentía muy acabado, que para mí todo había ya terminado, que era un viejo manco sin ilusión por la vida. Y, a modo de guinda y con música de lamento, he añadido suspirando:

—La vida no tiene entrañas. No es humana.

He recitado, pues, dos frases que me gustan de este dietario.

—Me hacen gracia algunas de las cosas que dice —me ha comentado, suspirando él también—. Pero la verdad es que son bastante cándidas en ocasiones. Son más propias de un chiquillo que del viejo que usted pretende ser. Y es que si me lo permite me veo en la obligación de decirle que denotan cierta inmadurez, lo cual no es nada grave ni alarmante, pues aunque usted parece algo mayor de lo que es no hay que olvidar que sólo tiene veinticinco años...

—Veintisiete —le he interrumpido furioso—. El otro día me quité dos años.

—Sí, bueno. Veintisiete. Qué más da. El hecho es que usted es muy joven y eso, amigo, siempre se nota, sobre todo cuando uno habla. Pero mire que decir que la vida no tiene entrañas... Qué ocurrencia. ¿Ve? Es otra niñería. Como lo es sentirse orgulloso de estar contándome su vida como si fuera un coronel de artillería que hubiera participado en mil batallas. Por Dios, créame, amigo, que tampoco es eso... Sí. Ya sé. Ha vivido usted experiencias muy desagradables y créame que lo siento, pero es ridículo que a su edad hable imaginándose apoyado en un bastón de viejo. Mi olfato me dice que anda usted quemado por la vida pero que un buen tequila le podría reanimar.

Ha sido el peor momento del día. Aunque quizás él trataba de levantarme el ánimo, todas sus frases me han herido profundamente. He comenzado a odiar su nariz aguileña y he lamentado ser manco y no poder estrangularlo.

—A mis veintisiete años he vivido cien veces más que usted —le he dicho finalmente.

—¿Por qué? ¿Porque soy de Felanitx? No me haga reír. Hasta en su forma de protestar se nota su inmadurez.

—¿Qué hay de ese tequila? —le he dicho entonces, ya desesperado.

Por toda respuesta me ha dicho que si deseaba contarle mi vida aventurera y desgraciada y seguir creyéndome que era un viejo, hiciera el favor de respirar de vez en cuando entre frase y frase.

—Sólo un poco —me ha dicho—. Lo suficiente para seguir con vida. Pues si finalmente resulta que es verdad que es y se siente tan viejo podría acabar asfixiado al tratar de contarme tantas historias en tan poco tiempo.

En ese momento ha venido lo peor de todo, unas palabras que ahora contemplo ya sin ira. Me ha dicho, en un tono cortés que parecía esconder su ánimo de burlarse y ofenderme, que se notaba demasiado que vivía solo, pues en cuanto tenía la menor oportunidad me ponía a hablar por los codos.

Su hija Berta, que estaba jugando con mis caretas de jaguar, ha recibido la orden inapelable de que debía abandonar la terraza y preguntar a su madre que había esa noche para cenar.

—De hombre a hombre —me ha dicho cuando nos hemos quedado solos—. Búsquese una mujer.

No he sabido qué decirle y entonces él me ha explicado que no era nada bueno que el Hombre (en este caso yo) esté solo y pase todas sus mañanas aburrido tomando el sol en la playa y que por las tardes mire a las musarañas y por las noches salga a la terraza a contemplar la palmera de los vecinos primero y poco después la luna de plata, sea la de Veracruz o la de S'Estanyol, tanto da, mientras aguarda sin ilusión alguna la hora de entrar en la fría, gélida cama.

—Búsquese una mujer —ha insistido—. Ellas siempre lo arreglan todo.

No he querido llevarle la contraria, pero he pensado en una mujer, en una cantante de boleros y guarachas, que no sólo no arreglaba nada sino que incluso lo estropeaba todo mucho más, y he acabado por hablarle de ella y decirle que terminó siendo verdad lo que Antonio, en un primer momento, me había contado como mentira.

—A mi regreso de la India, me encontré con la sorprendente noticia, totalmente cierta en esta ocasión, de que Máximo se había fugado al Caribe con la reina del cha-cha-chá.

Ha sido entonces cuando, a las siete y media en mi reloj de pulsera, me ha dicho:

—En el fondo sólo los grandes tímidos son personas atrevidas, capaces de cualquier cosa, créame, por eso no me extraña demasiado que su hermano Máximo acabara fugándose de verdad con esa mulata.

Eso me ha dicho hundiendo una galleta en su café con leche y sonriéndome. Yo le he devuelto la sonrisa tratando de ocultar mi malestar por algunas de sus palabras, sobre todo por aquellas en las que me trataba de jovenzuelo o de hombre aburrido tomando el sol y mirando las musarañas mientras se baña en lunas de plata imaginarias.

Él se reía de mí, eso estaba claro. Creía que la diferencia de edad le daba derecho a eso. Se dejaba llevar por una cifra —mis veintisiete años— y no por mi estado de ánimo, que es el de un hombre que sabe que ha terminado para él todo su ciclo vital. Él se reía de mí, eso estaba claro. Y con su actitud no hacía más que desalentarme, por si no lo estaba ya del todo. No hacía más que confirmarme que todos estamos solos y nos burlamos de todos y nuestras penas y dolores son una isla desierta. Se reía de mí, pero tampoco tenía yo demasiado derecho a quejarme, pues me había reído también de él desde el primer momento en que le vi, de él y de su familia y de su estúpida normalidad. No, no tenía demasiado derecho a reprocharle que se burlara de mí, pues desde que estoy en S'Estanyol más de una vez he conseguido dormirme viéndole a él, a mi vecino, como el pastor de un rebaño del que contaba yo minuciosamente las ovejas al tiempo que evocaba su ridícula figura y bigote zapatista con la más despiadada y sorda de las carcajadas.

Le he dicho que andaba muy equivocado si pensaba que Máximo era en el fondo una persona atrevida, pues nunca dejó de ser un tímido profundo a lo largo de aquella vida tan poco envidiable que el pobre tuvo y que terminó, además, tan mal por culpa de la trampa horrible que le tendió aquella desalmada cantante de boleros que, careciendo del menor escrúpulo, se portó fatal con él.

—¿Se portó mal? —me ha preguntado tras enarcar una ceja, mostrando cierto interés y sorpresa.

He decidido demorar la respuesta, interesarlo más por las desgracias de mi vida. He hundido mi mirada en el mar y me he quedado unos segundos escuchando el rumor suave del oleaje, y he terminado por explorar el horizonte donde se adivina la silueta, a veces tenebrosa, de la isla de Cabrera, y he pensado en otros mares y otras islas más lejanas, en la isla caribeña de Beranda por ejemplo, hasta que le he dicho:

—Decir que ella se portó mal o que era la perdición de los hombres es quedarse corto. Porque sepa usted, y espero que con ello deje de quitarles importancia a mis desgracias, que la tal Rosita lo asesinó. Sí. Lo que oye. Rosita lo mató.

Siempre será doloroso para mí evocar esta historia, pero esta tarde hacerlo me ha permitido nombrar en voz alta a Rosita. Y poder nombrarla me produce una excitación muy especial. Me devuelve a los días en los que estaba con ella y podía llamarla a mi lado diciéndole: Rosita. Su mismo nombre, pronunciarlo, era ya entonces una gran fuente de placer. Hoy, es triste tener que decirlo, pero hoy cualquier excusa sirve, aunque sea la del asesinato de Máximo, para poder pronunciar en voz alta, como antaño, su excitante nombre.

—Rosita —he insistido— lo mató. Lo hizo pasar todo por un suicidio, pero yo sé que lo mató.

—Qué historia. No sé si creerle.

De nuevo he decidido demorar la respuesta, asegurarme de que lo tenía bien cazado e interesado en la historia del trágico final de Máximo. Le he desviado la conversación. He pasado a pedirle que se olvidara del asunto, ya que me hacía mucho daño evocar la muerte de mi hermano. Le he propuesto que habláramos de lo triste que había sido, por ejemplo, la infancia de mis dos hermanos mayores en comparación con la mía, que, tal vez gracias a haberle resultado siempre indiferente a nuestro padre, fue un simple y alegre paseo, lo que no podía decirse de las infancias de Antonio y Máximo, que vivieron sus respectivos vía crucis. Aunque no veía a mi vecino muy satisfecho del giro que había tomado la conversación, me he dedicado a contarle las desventuras infantiles, en primer lugar, de Antonio, que a los once años y en Platja d'Aro, simulando que estudiaba las asignaturas suspendidas en junio, iba construyendo bajo un pino una novela río al estilo de *Los cipreses creen en Dios*, una historia delirante sobre la Guerra Civil y las vocaciones religiosas de los colegiales gerundenses, y la iba escribiendo siempre a escondidas de mi padre hasta que, un día, éste descubrió el manuscrito en un armario de la casa y se dedicó a subrayarlo despiadadamente y a ponerle anotaciones irónicas en las que se decía que todo aquello que había allí escrito era sumamente cursi y grotesco e impropio del talento literario presumible en un heredero suyo.

—Como ve, mi padre fue el primer crítico literario que tuvo mi hermano Antonio —le he dicho.

Se me ha quedado mirando como preguntándose de qué le estaba hablando.

—Hasta que no alcanzó la mayoría de edad, que fue algo que a él le impresionó absurdamente —he continuado yo—, mi hermano le tuvo una manía enorme a nuestro padre. Pero la mayoría de edad se le subió a la cabeza y le hizo cambiar de carácter y se dedicó a imitar a nuestro padre y a convertirse en una réplica exacta de él o, mejor dicho, casi exacta, pues al menos como escritor lo superó.

En ese momento, tal como me esperaba, he confirmado que no me había servido de nada desviarle el tema, pues no ha hecho más que aguardar a que terminara de contar el vía crucis de Antonio para preguntarme por ciertos pormenores de la muerte de Máximo a manos de Rosita.

Encantado de verle cada vez más comprensivo con la historia de las desgracias de mi vida, me ha divertido demorarle un poco más lo que sabía que, tarde o temprano, acabaría contándole. Le he hablado del otro vía crucis infantil, el de Máximo, a quien nuestro padre no le emborronó novela río alguna, pero le condenó en cambio a estar siempre encerrado en su cuarto, castigado eternamente a causa de sus malas notas.

—Eso —me ha dicho el vecino— debió sin duda configurar su carácter tan reservado y, al pasar de la infancia a la juventud, debió conducirle, entonces ya por cuenta propia, a continuar encerrado... Pero en cualquier caso no explica para nada su monstruoso final, sobre el que le agradecería, por muy doloroso que le resulte, amigo, algún detalle más.

—¿Y que hay de ese tequila que antes me ha ofrecido? —le he dicho sabiendo que iba a necesitar algún trago para afrontar el tema de la muerte de Máximo, una historia que habría silenciado de no ser porque el vecino, al burlarse de mi edad y de mis desventuras y desgracias, me había irritado y provocado empujándome a elevarle el nivel dramático del relato de mi vida.

—Ayer mismo compré ese tequila. En Palma. Creo que bajo su influencia, amigo. Porque usted ni se ha dado cuenta, pero nos ha vuelto a todos un poco mexicanos.

Ha dado un extraño grito insular en forma de mensaje cifrado hacia el interior de la casa, y poco después ha aparecido la bella Clarita pidiendo permiso para poner el disco que yo le había regalado al tiempo que nos ha dejado una bandeja con una botella de El Cuervo, dos vasos, sal y limón.

Todavía ahora, mientras escribo esto, esa fugaz aparición de Clarita en la terraza me sigue preocupando, pues tengo para mí que ha sucedido algo muy raro, que en todo caso sólo yo he advertido y que ahora dudo de escribirlo, por temor a terminar dudando de mi propia cordura, siempre tan frágil por otra parte, pero lo cierto es que no puedo olvidarme de lo que me ha parecido ver ni puedo tampoco evitar aquí contarlo, aun a riesgo de no saber hacerlo, porque extraño lo ha sido mucho y sólo puede demostrar una de estas dos cosas: o bien yo, trastornado por el calor y la soledad de este domingo horrible, veo sucesos que quizás sólo ocurren hasta cierto punto, o bien la personalidad de esta Clarita debería empezar a darme que pensar.

Lo cierto, al menos desde mi punto de vista, es que cuando Clarita ha abandonado la terraza con el permiso de su padre para poner la música de *tex-mex*, ha entrado en la casa de una forma tan extraña que, no sabría cómo decirlo, ha sido como si en realidad nunca hubiera salido a esa terraza para pedir el permiso, es decir, que ha entrado en ese interior de la casa desde el interior mismo, como si desde el interior hubiera entrado al interior y en ningún momento pisado el exterior, aunque la prueba de que sí lo había pisado era que había puesto en marcha el tocadiscos de la terraza y sonaba *No me amenaces.*

Lo que me ha parecido ver era tan raro que hasta una voz interior ha retumbado en mi cerebro —la voz del maldito Buitre Zopilote— para avisarme de que lo más probable era que allí lo único raro fuera yo y que bien haría en dejar de serlo si no quería que mi vecino se sintiera ya definitivamente incómodo conmigo y mis rarezas. Así pues, esa voz interior, que en ocasiones se dedica a recordarme que debo ser más normal, me ha lanzado una seria y muy circunspecta advertencia que a mí en ese momento me ha parecido —raro como estaba— procedente nada menos que del libro de Rulfo y en concreto de este pasaje: «¡Tú y tus rarezas! Siento que te va a ir mal, Pedro Páramo.»

Todavía bajo los efectos de esa advertencia y con Berta probándose caretas de jaguar ante un espejo del interior de la casa, su padre y yo nos hemos quedado escuchando, medio extasiados, los corridos y las rancheras de esa música fronteriza, y se ha ido creando una atmósfera tan mexicana que, al brindar con tequila y admirar de pronto el bigote zapatista del vecino y escuchar *Cielito lindo*, he comenzado a preguntarme seriamente si a partir de entonces no sería más conveniente que conservara mi nostalgia mexicana no mentalmente, no recurriendo a forzados pensamientos melancólicos, sino físicamente, de una forma que fuera palpable, conservándola a través de mis vecinos, que parecían estar corporizándola en su terraza al mostrarse tan permeables al teatro de esa nostalgia mía de Veracruz.

Tras el tercer tequila, la expresión del rostro de mi vecino ha comenzado a cambiar, a desfigurarse visiblemente. Como ha visto que yo lo notaba, me ha dicho de repente en un tono más bien patético:

—Estoy enfermo, amigo. Fui un gran bebedor, aquí donde me ve. Pero eso me dejó enfermo, y ahora la familia sólo me permite beber los domingos, de modo que no le extrañe que dentro de poco me retiren el tequila, no le extrañe.

Le había afectado con notable rapidez la bebida, y yo mismo, que temo como nadie al alcohol, me he encargado de retirárselo, colocando discretamente la botella en un cactus de la terraza. Viéndola allí, sus ojos se han dilatado enfebrecidos y me ha pedido un último trago, antes de que fuera la familia quien se lo prohibiera. Se lo he negado al tiempo que trataba de distraerle hablándole de la muerte de Máximo y contándole, por ejemplo, que oficialmente mi hermano se suicidó.

—La policía de Beranda entendió que él había despeñado a propósito su automóvil por el barranco más pronunciado que hay en la carretera que une Puerto Bajío, la capital de la isla, con el Casino Nacional... Una carretera, dicho sea de paso, muy bella, como la mayoría de las de Beranda, carreteras muy estrechas, con muchos precipicios, enroscándose en las montañas. Para la policía, mi hermano se suicidó. Pero era difícil de creer eso.

—¿Y ella sola fue capaz de despeñar ese coche? —me ha preguntado, moviéndose algo inquieto en su silla.

—Tuvo un cómplice. Su chulo, un español, un tipejo de Badajoz. Mientras lo mataban, ella cantaba en un cabaret.

—¿Y por qué lo mató?

—Para quedarse con su dinero. Para heredar. Tenía deudas de juego y la habían amenazado con destrozarle su cara bonita si no pagaba. Le pidió al chulo que se deshiciera de Máximo.

—¿Dice heredar? ¿Se había casado con su hermano?

—Sí. Dos años antes en Tahití, poco antes de viajar a Puerto Bajío, donde ella había nacido. De ahí ya no se moverían nunca más. Esos dos años debieron ser un suplicio para ambos. Ella, en el fondo, esperando tan sólo el momento oportuno de eliminarlo. Porque estoy seguro de que, ya desde el primer día, no podía más de él. Él, en otro sentido, tampoco podía. Era impotente. Ella, por supuesto, lo sabía cuando se casó con él y, sin embargo, ya ve, se casó, lo que demuestra que fijó su mirada en la fortuna de Máximo.

—¿Y cómo sabe que él era impotente?

—Me lo dijo Rosita.

—¿Y la creyó? ¿Creyó a la asesina de su hermano?

Me ha pedido un último vaso de tequila, que no he querido negarle. Lo ha bebido y se ha quedado con los ojos muy vidriosos, como si tuviera una fiebre inmensa. Me ha dado bastante pena, y cuando me ha pedido otro vaso más, he tenido un gesto responsable y se lo he negado con autoridad.

Ser normal, ser como los demás, había sido mi objetivo a lo largo del día, pero en ese momento me ha parecido que todo eso había dejado de tener sentido, sobre todo a la vista de la conducta de mi vecino, que no era, o en todo caso no estaba, precisamente normal. Por otra parte, me ha parecido entender que no dejaba de ser una pérdida de tiempo tratar de ser normal si después de todo nadie lo es y, además, yo soy extraño, en cualquier caso, a lo que llamamos las personas humanas. Yo a ellas soy, de un tiempo a esta parte, tan extraño como un animal o una piedra. Y no lo soy, ya digo, desde siempre, sino desde que las heridas insensatas de la vida me convirtieron en un definitivo desertor de ésta. Hoy en día ya no soporto los cuerpos humanos, tan fijos y limitados. Me pregunto qué me une a ellos, a esos cuerpos delimitados, parlantes, o bebedores enfermos de tequila, qué me une a ellos más estrechamente que a cualquier otra cosa, digamos a esta pluma estilográfica que tengo en la mano y que escribe en este cuaderno de los tres tucanes. ¿Tal vez el hecho de que soy de su especie? Pero no lo soy, no soy de su especie. Por eso, justamente por eso, he formulado esa pregunta.

—Rosita —le he dicho, casi corriéndome de gusto— se equivocaba creyéndose la reina del bolero porque, tal como me había advertido Antonio, en ese aspecto era una verdadera birria. Pero ella no se equivocaba cuando sabía que era la reina de la sensualidad. En eso también Antonio tenía razón cuando decía que era una mujer de tal belleza que hasta daba miedo mirarla. Y era además tan seria como muy inteligente.

—No sé si hay mujeres así —me ha dicho el vecino, sin duda con ánimo de volver a ponerme nervioso, tal vez para que hablara más y acabara yéndome de la lengua.

—¿Y eso qué es? ¿Sabiduría de Felanitx? —le he dicho.

—No hay ninguna mujer que tumbe realmente de espaldas.

—Y, entonces —le he dicho sin pensar demasiado en mis palabras—, ¿por qué hace un momento me ha recomendado que buscara una mujer? Si esa mujer no ha de tumbarme de espaldas no me interesa. Por tanto, si no existe, no pienso buscarla.

—Yo sólo le he dicho que no sabía si había mujeres así, tal como usted las describe, es decir, de una belleza tal que hasta tumba de espaldas.

—Pues Rosita me tumbó —le he dicho con mi mejor acento mexicano.

—No me haga reír.

—Rosita me volvió loco, ¿entiende ahora? Me hizo perder la cabeza, me tumbó.

Ha sonreído satisfecho, como si hubiera obtenido de mí una confesión en toda la regla, y lo peor es que no iba desencaminado.

—Pero todo esto que me dice es monstruoso, amigo. Absolutamente monstruoso. Ande, déme otro tequila. Así que usted se enamoró de ella... Se enamoró de la mujer que mató a su hermano...

—Pues sí, señor —le he dicho, y he temblado recordando esa gran pasión, sintiendo el mismo incendio del día en que la vi por primera vez en Beranda. Y he intentado entrar, puesto que habíamos tan a fondo llegado en este asunto, en más detalles de la historia, pero se ha ido haciendo cada vez más imposible hablar con el vecino, al que los estragos de los cuatro tequilas han ido convirtiendo en el verdadero hombre raro de la tarde. Como cabeceaba de una forma extraña y sólo se le oía decir, de vez en cuando, que lo que le había confesado era espantoso, he decidido que lo mejor era marcharse.

—Me voy —le he dicho—. Ya es tarde. Y disculpe las molestias. Despídame de su señora esposa. Y no se preocupe más. La culpa, en realidad, es de los domingos.

—Se enamoró de ella. Es horrible. Se enamoró de la mujer que mató a su hermano —me ha repetido varias veces, siempre dejando notar su apestoso aliento en mi nuca, persiguiéndome hasta la puerta de entrada al jardín y terraza de la casa, persiguiéndome hasta el Paseo del Mar.

He regresado a esta casa y a este cuarto, que cada día se parece más al de aquel pintor chino que decoró su celda con paisajes de horizontes lejanos y neblinosos para luego perderse en ellos. He vuelto a este cuarto donde escribo y en el que, dentro de poco, si veo que tengo insomnio, no recurriré a algo tan grosero como contar ovejas o reírme del bigote zapatista del vecino para dormirme, sino que más bien buscaré caer rendido de sueño contando las botellas en las que tantas veces se habrá refugiado, en el laberinto isleño de su soledad, el pobre dentista, y yo sé que no tardaré en dormirme rindiéndole homenaje, contando botellas, botellas de anís y de aguardiente, de jerez y absenta, botellas que se hacen añicos bajo los volcanes, botellas y vasos, botellas y copas, botellas y botellas, copas de amargo Dubonnet, Bacardí y vodka, ajenjo y grappa, botellas y más botellas bajo los volcanes, Johnny Walker y Bombay, y el brazo perdido en la India y las botellas, las hermosas botellas de tequila y de mezcal.

Son las cinco y cinco de la madrugada en mi reloj de pulsera, y me encuentro, tal vez por haber bebido demasiado hace un rato, en pleno y duro insomnio, los ojos redondos como platos, o como faros ardiendo en la noche. De nada me ha servido contar botellas como si fueran ovejas, pues me ha dado esta noche por pensar, tal vez por influjo del maldito vecino, que quizás es verdad que aún soy joven y pertenezco al mundo, y eso, para qué negarlo, me ha sentado francamente muy mal. Porque sólo me siento bien, incluso perfecto, cuando me encuentro viejo. Es mi estado ideal el recogimiento, estar apartado del mundo. Sólo estoy bien si me siento viejo.

Desde hace tres días, desde que escribo en este cuaderno de los tres tucanes, me encanta pensar que sólo el gran fracaso que ha constituido mi existencia me da al fin la paz y la felicidad que busqué como un ciego en el amor y otras zarandajas. A mis veintisiete años, la vida ha terminado. Eso lo tengo muy claro. Estoy acabado, a Dios gracias. Y es que sólo cuando pienso que mi fracaso ha alcanzado las proporciones de toda una vida de desengaños, me encuentro a gusto.

Pero hay noches, como la de hoy, en las que al irme a dormir se me ocurre pensar que tal vez es verdad que aún soy joven, y entonces me quedo triste, y me angustio y, por mucho que cuente botellas y botellas, no me duermo y me llega la terrorífica sospecha de que, para mí, hasta la noche es joven. Hoy sólo he conseguido conciliar el sueño unos cinco minutos en toda la noche, el tiempo suficiente para tener esa pesadilla breve pero intensa en la que, tal vez por dormirme en la angustia de que podría ser que todavía fuera joven y el vecino tuviera toda la razón en eso, he soñado que salía a pasear de noche por S'Estanyol de Migjorn, por el pueblo dormido, y me dirigía a través del Paseo del Mar a esa calle interminable y angustiosa en la que los recovecos y las altas casas de tejado saliente impiden ver la salida y por la que he marchado hacia la carretera de Felanitx y hacia ese Casino de la Juventud que a veces, a la luz cambiante del ocaso, contemplo desde fuera con la mirada de ternura propia del hombre que escribe y envejece a gusto y cuyo último deseo sería cruzar el umbral de ese Casino y entrar en un mundo de raquetas de tenis y espinillas.

Pero en el breve sueño de esta noche he descubierto, en uno de los árboles del jardín de ese Casino, a un hombre joven yaciendo de bruces con los ojos cerrados, pero no yaciendo en el suelo sino encima de un asta que con el peso había acabado cediendo. El cuerpo entero de ese joven, del que no he tardado en sospechar que podía pertenecer a un ejército derrotado —he llegado a decirme que tal vez era el soldado desconocido de esa batalla perdida que es cualquier vida—, colgaba de forma muy rara, quiero decir que atravesado. Y, como ese joven tenía los brazos extendidos y únicamente las puntas de los zapatos tocaban el suelo, parecía un avión caído en la copa de un árbol.

Tras el violento despertar, todos mis intentos de recuperar el sueño han resultado ya inútiles. Y aquí estoy ahora yo, en pleno y duro insomnio, con los ojos bien redondos como platos. Hace un rato he salido a la terraza a contemplar las estrellas y a tomar el aire fresco de la noche y he terminado espiando el misterioso y profundo silencio de la casa de mis vecinos. Digo misterioso porque todo parecía en perfecta calma cuando de pronto, al observar distraídamente cómo movía el viento los ficus y la palmera que protegen la entrada a la terraza de los vecinos, me ha parecido descubrir una orgía secreta, un animado y salvaje diálogo entre los agitados ficus y la esbelta palmera, algo así como una fiesta privada que si hasta entonces había pasado, para mí y para todo el mundo, inadvertida, seguramente era porque se celebraba en la intimidad máxima de la noche, en la hora más callada, cuando hasta el antiguo puerto de la Vera Cruz duerme.

Al hundir aún más la mirada en esa fiesta secreta del viento ha sido cuando de pronto, no voy a negar que entre la sorpresa y el más profundo pánico, le he visto. Sí. Me ha parecido ver al dentista, quieto y agazapado entre los ficus y la palmera, inmóvil su cuerpo y como al acecho de una misteriosa presa, como escondido por otra parte, pues sus pantalones y camisa verdes lograban camuflarlo a la perfección y su figura se confundía, sin el menor fallo, con la naturaleza.

Qué estaría, que estará haciendo ese hombre ahí. Porque no dudo de que sigue ahí, aunque no quiero mirar y constatarlo, pues me da miedo todavía y, además, no me apetece volver a reencontrar esa sensación de apuro que a uno le llega cuando descubre la extraña e inconfesable actividad secreta de un vecino al que creía conocer.

Qué clase de presa estará acechando ese hombre en la oscuridad. ¿Por qué, a estas horas, no está durmiendo con su mujer? Tal vez lo único que sucede es que está más borracho que cuando me despedí de él. O quizás se hace el muerto, o juega a estarlo. O pretende dar un salto repentino hacia adelante y dar un susto de muerte a alguien que, desprevenido, camine tranquilamente por el Paseo del Mar y no se aperciba —cómo puede alguien imaginar una cosa así— de que entre esas plantas hay un hombre al acecho, camuflado entre ellas. Pero no creo que sea eso lo que está sucediendo, porque a estas horas es imposible que pase una sola alma por el Paseo del Mar.

Qué estará haciendo ahí ese hombre. Qué estará haciendo disfrazado de planta. Tal vez todo esto en realidad no tenga nada de raro o de especial y la culpa sea simplemente de los domingos, que son horribles. Son muchas las personas que, a causa de esto, los acaban trastornadas, terminan muy mal sus domingos. Son horribles, sí, los domingos... Pero, Dios mío, qué estará haciendo ahí ese hombre, mi vecino. En cualquier caso, verle ahí completamente inmóvil entre las plantas no sé por qué me ha traído el recuerdo de una imagen entrevista con asombro, el mes pasado, en las afueras de Veracruz, la tarde aquella que daría paso a una noche en la que nacería —fingida— mi nostalgia de ese puerto y de ese mar.

Aquella tarde vi a un campesino indio inmóvil fundiéndose con el paisaje. Y no sólo con el paisaje sino también con la barda en que se apoyaba en aquel crepúsculo presidido por el silencio grave y profundo de la hora. Ese campesino se camuflaba entre la naturaleza y disimulaba tanto su condición humana que hasta parecía abocado a abolirla y volverse, en cualquier momento, piedra, páramo, pirú, espacio y silencio.

Por si acaso el dentista estaba jugando, como hago yo tan a menudo, a hacerse el muerto en vida, y por intercambiar entonces con él los papeles en la noche, le he imitado en su tendencia beoda y he vaciado a su salud, y sobre todo a la mía, una botella entera de vino de Biniali, lo que me ha librado, por momentos, de la angustia excesiva de este insomnio y me ha dejado un buen rato distraído pensando que en definitiva la vida no es más que nostalgia de la muerte. No venimos de la vida sino de la muerte. Eso me he dicho y he logrado para mí un cierto alivio, y hasta una tímida risa en mitad de la noche cuando me ha dado por pensar en las viejas risas de México para todos los ataúdes. Y hasta me he atrevido a mirar al dentista y he visto que es la parte más profunda de mí, ahí quieto y bien camuflado entre las sombras de la noche, mi parte oscura. Por eso es mi vecino.

Como sigo despierto y la noche en blanco viene acompañada del recuerdo atroz de un velo rosa y de una fiebre del pasado, me oriento ahora hacia ese peculiar año en que los tres Tenorio nos casamos. Recuerdo cómo abrió el fuego el incauto Máximo, a finales de enero, y que lo hizo del modo más estrambótico, con su inesperada boda en Tahití. Inesperada y, como dijo Antonio, propia del gran pasmarote que el pobre era, pues «una cosa siempre será tener una aventura y fugarse con una guapa cantante de guarachas y la otra, bien distinta, ser tan mentecato y casarse».

Yo me encontraba por aquellos días en Barcelona y, como siempre que estaba en mi ciudad natal, me sentía como un pasajero en tránsito hacia ciudades lejanas. Yo convalecía en Barcelona de mi viaje a la incomprensible India, y me dedicaba a ayudar en todo lo que podía a mi hermano Antonio, que ultimaba por esos días los preparativos de su inminente boda con la novia de toda su vida, la abnegada Marta. Me dedicaba a ayudarle en todo cuanto podía cuando nos llegó a los dos aquella postal infame de Máximo: «Ayer volamos de Beranda a Caracas y de Caracas a Tahití, y aquí me tenéis ahora, junto al mar y al borde de una piscina. Como dicen aquí los franceses: Farniente y ukulelé. ¡Esto es el Paraíso! Mañana Rosita y yo nos casamos. Estoy muy enamorado y me siento otro. Besos fraternales.»

Aquella postal nos amargó a los dos el día. A Antonio porque conocía a Rosita y creyó adivinar enseguida lo que podía estar tramando aquella «mujer fatal en versión mulata, la típica tentadora que arruina con sus ojos negros», me dijo con su enojosa tendencia a convertirlo todo en literatura, «la típica hembra deslumbrante y venenosa, de clavel en el pecho y puñal en la cintura, la eterna serpiente, mujer tan bella como desprovista siempre de dinero a causa de su enfermiza afición al juego y, lo que es peor, desprovista de sentimientos y del menor escrúpulo. La tentación, la perdición de los hombres. Para echarse a temblar, vamos. El diablo hecho mujer».

En cuanto a mí, aquella postal también me amargó el día, porque enseguida intuí que todo aquello sólo podía acabar mal. Sabiendo que el diablo era mujer y se llamaba Rosita y no ignorando, además, que mi querido Máximo era un ingenuo como la copa de un pino, no podía yo ver en aquella boda tahitiana más que los primeros indicios de una fatalidad que muy posiblemente no tardaría en manifestarse.

Pasé los días que precedieron a la boda de Antonio deseando que éste, por puros celos o por su odiosa tendencia a convertirlo todo en literatura de gabinete, hubiera exagerado respecto a Rosita y que ésta, en el fondo, no fuera una mala mujer —no fuera la clásica mala, la que va y viene, busca a los hombres, los abandona—, sino una sufrida y santa ama de casa, una de esas cantantes que desean que un marido tradicional las retire cuanto antes de los escenarios, una de esas esposas perfectas que con tanto ahínco pintaba, en la soledad de su ático, el pobre Máximo.

Pero absurdamente iba a ser yo, que ni tan siquiera la buscaba, quien no tardara en sospechar que había dado con mi esposa perfecta, y eso que ya digo que ni la buscaba, pero lo cierto es que de pronto creí tenerla sentada a mi lado. Fue en el banquete de boda de Antonio —¿por qué será que las bodas generan siempre otras?—, en el salón de los espejos del Ritz, cuando una mano invisible me sentó a cenar justo al lado de Carmen, una prima lejana a la que no veía desde los días de la infancia, desde los días aquellos en que yo acompañaba a mi padre en sus viajes a La Noguera, una gran finca del Berguedà, donde se pasaba tardes y tardes discutiendo, largo y tendido, con la familia de mi madre, los Recasens, en torno a una, para mí entonces misteriosa y muy complicada, herencia de unas fincas rurales. Allí, mientras él se entrevistaba con aquellos parientes, yo me dedicaba, por los lugares más lascivos y recónditos de la finca, a entrevistarme con mi prima más febril y más caliente.

De tan cambiada que estaba Carmencita no la reconocí en un primer instante cuando, al sentarme a la mesa y disponerme a examinar el menú que yo mismo había confeccionado, oí que alguien que estaba a mi lado me llamaba y, al volverme, me llevé la gran sorpresa de ver cómo una mujer morena, muy bella y de ojos hipnotizantes, me sonreía con inquietante beatitud mientras se colocaba lentamente una rosa en la boca y poco después, de pronto, con un veloz movimiento del pulgar, me la estampaba justo en plena frente, riendo.

Aquello fue como si me hubieran disparado una bala entre los ojos. Tuve la impresión de que aquella imagen de gran belleza se había incrustado para siempre en el centro de mis pensamientos y que sería ya del todo imposible intentar olvidarla algún día.

—Tú eres Enrique, pero de mí ya veo que ni te acuerdas, ¿verdad? ¿Y si te digo que soy una niña de Biafra? —me dijo recordando aquello que tantas veces y con cierta mala fe, viéndola a la pobre casi en los huesos y con aquel pelo tan negro y ensortijado, solía decirle para atormentarla un poco y cubrir así de alguna forma los intervalos de tanto juego prohibido y amoroso.

—Perdona, pero... —dije sin salir todavía del impacto visual que me había llegado con aquel inesperado reencuentro.

—Una niña de Biafra —me repitió con casi el mismo aire ingenuo de aquellos días, ya lejanos, de juegos peligrosos en los tejados grises y rojos de la gran finca de La Noguera. Y yo, todavía perplejo y tratando de reaccionar, sólo acerté a balbucear cuatro palabras inconexas que en modo alguno revelaban que ya la hubiera reconocido y anduviera, por ejemplo, acordándome de aquella finca a ocho kilómetros de Berga, La Noguera, en la que restauraciones y renovaciones alternadas a lo largo de los años habían convertido los tejados en un fascinante y raro laberinto de ángulos, de volúmenes, de superficies grises y rojas, de aristas muy pintorescas y de escondrijos geniales a resguardo del viento, donde ella y yo nos ocultábamos y abrazábamos y besábamos dedicando los momentos muertos de aquella actividad amorosa a insultarnos tiernamente o a contemplar, en largos y profundos silencios, el lago artificial y los cisnes, los bosquecillos cercanos, los prados, las vacas y las estacas negras que, a un kilómetro de distancia, marcaban los confines de aquella gran finca que la flaca y fea pero caliente y amorosa Carmencita siempre me decía que algún día sería suya.

—Eres Carmencita —dije finalmente, casi incrédulo ante tanto cambio y tanta belleza, y me quedé un momento evocando en silencio mis reiteradas promesas infantiles de matrimonio, siempre formuladas en atardeceres melancólicos en lo alto de la casa principal de La Noguera, la que estaba al borde del lago y era cruzada por una multitud de pavos reales que se reproducían a alarmantes velocidades.

—¿Quién acabará con los pavos reales? ¿Quién fulminará a los Tenorio? —me contestó Carmen, evocando frases que ella solía dedicarme en los días de la infancia para ponerme nervioso y enfurecerme.

Miré a sus ojos, antes de niña hambrienta, y confirmé que se habían vuelto cautivadores. Aquella niña biafreña era ahora la encarnación de la Belleza. Su cabello negro, antes rizado y agitanado cuando no directamente africano, le caía ahora con elegancia en cascada sobre la clavícula izquierda, y su modo de sacudir la cabeza para echarlo hacia atrás, y ya no digamos el hoyuelo perfecto de su mejilla derecha, pertenecían a ese tipo de revelaciones instantáneas a las que acompaña el sentimiento inmediato, que a la larga muchas veces acaba revelándose equivocado, de encontrarse uno ante la mujer de su vida.

Pero quién no ha caído alguna vez bajo los efectos de la flecha del amor a primera vista. Pero quién no ha pasado por un trance así. Esa repentina y luminosa impresión de estar ante la mujer ideal la iría yo confirmando, poco a poco, en el transcurso de la cena. Y a la hora de los postres andaba ya perdidamente enamorado. Sus largas pestañas (me decía yo admirado), ese pañuelo rosa en el cuello, el acento tan sensual de su voz payesa y provinciana, su ardor amoroso de niña que vuelve ahora renovado, la portentosa ligereza de su frágil mente, la gruesa línea de sus febriles labios...

Como todo en ella parecía febril, deseé con ímpetu secreto que no anduviera para nada equivocándome y que fuera cierto lo que intuía acerca de Carmen, y que esa piel suya tan ardiente hubiera sido concebida para la fiebre del más profundo amor, para el amor de verdad, para el amor dulce y también para el amargo, para el amor conyugal en definitiva, para el amor del cuerpo y del alma, para hacer el amor conmigo.

La habían educado precisamente para casarse y, como eso le hacía una ilusión bárbara, confiaba en encontrar marido pronto —«tú mismo, por ejemplo», me dijo por sorpresa y no parecía estar bromeando— y que la boda le sirviera para dejar atrás, de una vez por todas, el deprimente espectáculo de la provincia. Carmen, cansada de los pretendientes que como moscardones la rondaban por todo el Berguedà, andaba aguardando la oportunidad de abandonar todo aquel mundo de pesadilla que envolvía la atmósfera de bosques y vacas de La

Noguera y casarse con «una fotocopia del príncipe azul, con eso me contento». Dijo esto, en esta ocasión sin duda bromeando, y sonrió de una manera tal que, enamorado como yo estaba ya, me pareció deliciosamente tonta, pero a fin de cuentas tan genial como maravillosa.

—Yo puedo ser esa fotocopia —dije entonces, tonto yo también. Y ella repitió risa y, en un gesto que se diría estudiado, se quitó del cuello el pañuelo rosa y se tapó con él la boca mientras con delicadeza tosía. La imité, y allí mismo también yo tosí con risa floja tan tonta como deliciosa. Después, me quedé un rato como embrutecido incapaz de ver en aquella mujer defecto alguno, si acaso tan sólo —y me pareció muy perdonable— el de aquella evidente tendencia suya a que el rosa, para mí el color cursi por excelencia, dominara la geografía —falda plisada y zapatos de charol también eran rosas— de su algo estrafalaria indumentaria.

Dicen que el amor es así, tolerante hasta cotas increíbles con los defectos de la persona querida. Y Carmen, a la hora de los postres, encarnaba ya ante mis ojos, creo que hipnotizados por ella, no sólo a la persona amada y deseada, sino incluso a la mujer ideal, y hasta a la esposa perfecta. De hecho, casi llegó a serlo en el tiempo que vivimos juntos. Ninguna queja tendré nunca de ella. Tal vez incluso lo fue, fue la esposa perfecta. Pero de cualquier modo y en cualquier caso el tiempo pasa, y hoy a Carmen, de volver a verla, no la contemplaría como esposa perfecta o mujer ideal (por mucho que lo fuera), de la misma manera que el rosa ya no lo veo como el color cursi por excelencia, sino como el color más cruel y atroz, ligado como está al recuerdo perturbador de una fiebre y de ese velo rosa que tanto esta noche me desvela, me mantiene despierto mientras me digo que tal vez el insomnio cuadre mucho con mi carácter, con esa forma de ser mía por la que atiendo a todo soñando siempre y vivo con la pena de no ser otro —sólo puedo serlo si escribo, entonces soy Antonio— y la añoranza de lo que jamás ha existido.

Y ya digo que a Carmen hoy no puedo verla como la esposa perfecta. Y no porque no lo fuera, que probablemente lo fue, y no exactamente porque haya pasado el tiempo y yo haya cambiado mucho, no precisamente por nada de esto sino por algo mucho más simple, más sencillo, tan sencillo como que yo ya no estoy para esposas perfectas. Hoy mi persona más bien recuerda a uno de esos trapos de limpiar cosas sucias que se ponen a secar en las ventanas, pero se olvidan, enrollados, en los pretiles que se van manchando lentamente. Hoy mi persona sólo es la sombra de la sombra de una persona que, con toda la razón del mundo, se ha distanciado mucho de la vida y de sus heridas insensatas, y el premio natural a esto ha sido la fiesta de la escritura secreta de este cuaderno de los tres Tenorio, pero también esa incapacidad, que he creado en los demás, de sentir conmigo.

Porque hoy en torno a mí, pobre y maldito insomne, ya sólo percibo una aureola bien merecida de frialdad, un halo de hielo que ahuyenta a los demás y que aún habría de hacerlo mucho más si éstos supieran, por ejemplo, que cuando me quedo solo y despierto en noches como ésta, que cuando me quedo insomne y mis ojos arden redondos como faros bajo las estrellas, vuelven entonces para mí escenas del pasado y a veces un velo de fiebre esconde a duras penas mi angustia al recordar momentos como aquel, por ejemplo, en el Ritz, cuando Carmen me dijo que uno de sus máximos deseos era conocer a alguien con quien poder llevar una vida nómada —«alguien como tú», precisó en una nueva escalada de su estrategia de seducción—, pues si algo a ella la fascinaba —dijo— era que existiera en este mundo la idea del movimiento perpetuo.

Nada podía horrorizarla más que la imagen sombría de algo quieto o muerto y con los ojos bien abiertos —me estremezco sólo pensando en lo que ahora diría la pobre Carmen si pudiera verme— y, por ejemplo, un libro lo contemplaba siempre como un quieto y patético monumento a la muerte, sólo comparable al de una montaña.

—Y hablando de montañas —dijo de pronto acercando mucho su boca a la mía—, estoy tan en contra de ellas como de los malditos libros.

Parecía que siguiera un plan estricto para conquistarme, pues lo que decía tenía todo el aire de andar buscando demostrarme que ella y yo éramos almas muy gemelas.

—Es que en realidad yo soy bastante analfabeta —añadió bromeando, creyendo que su frase resultaba ingeniosa cuando sólo era ligeramente necia, tan sólo una frase boba aunque, por venir acompañada de su deliciosa risa y de la tos oculta tras el pañuelo rosa, volvió a dejarme encandilado. Y es que nada la favorecía más que aquella risa que venía siempre acompañada por su encantador despliegue de la tos y del pañuelo rosa. Porque la risa potenciaba aún más su belleza y aquellos dientes perfectos que parecían inventados para morderlo sensualmente todo, lo que tal vez explique que con tanta risa y tanta tos, sabiamente espaciadas en estrategia perfecta a lo largo de la cena, acabara yo a los postres arrojándome a los pies de Carmen, a sus zapatos de charol rosa, casi ya desquiciado de tan enamorado que estaba, proponiéndole matrimonio, como si de pronto me hubiera acordado de mis promesas infantiles de que habría boda cuando fuéramos mayores.

Tras un encantador parpadeo, que era una mezcla entre su fingida sorpresa y cierta desconfianza sobre la seriedad de mi propuesta, decidió no responderme todavía y desviar la conversación hacia el tema de los volcanes, de los que dijo que eran todo lo contrario de las horribles montañas, pues si éstas estaban muertas, los volcanes, en cambio, estaban espectacularmente vivos. Aseguró saberlo todo sobre ellos, sobre los volcanes. Sólo le faltaba verlos en directo, presenciar sus erupciones. Pero esperaba que la oportunidad llegara pronto. Mientras llegaba ese momento, los estudiaba. Así se preparaba para el gran instante. Esperándolo sin prisas, se dedicaba entretanto a cartearse con vulcanólogos de todo el mundo y había, además, coleccionado todo tipo de informes, mapas, conocimientos fascinantes, restos de lava y otras piezas de interés, y ya sólo le quedaba ver algún volcán en acción.

Insistí con seriedad, volví a formular mi petición de matrimonio. No era por mi parte ningún juego, yo hablaba muy en serio, estaba seguro de que había encontrado mi mujer ideal, yo necesitaba una mujer como Carmen para enderezar mi vida y el rumbo irregular de mis viajes. Y Carmen me parecía perfecta. Lo de menos —pensaba yo— era lo de los volcanes, que en realidad me traían sin cuidado, pues si a ella le gustaban tanto no iba a oponer ninguna resistencia a la hora de visitarlos, fotografiarlos, o lo que fuera.

—¿De verdad, pequeño pavo real, que conmigo te quieres casar? —me preguntó ella de pronto, a boca de jarro.

—De verdad que contigo y sólo contigo, contigo me voy a casar —le canté yo, parodiando como ella aquel estribillo de una canción que a veces cantábamos en los tejados de La Noguera tras nuestras promesas de matrimonio.

Después, le dije que para mí lo más atractivo del mundo era viajar y bailar y que me encantaría no retrasar mucho la hora de comenzar a estudiar en directo los volcanes y bailar lo más cerca posible de ellos y de sus maravillosos cráteres. Y la saqué a bailar. Apreté suavemente su cuerpo al mío, y me pregunté si a ella le podía estar preocupando que fuera yo manco. Aproximé mi boca a sus labios tan febriles pero sin decidirme a dar del todo aquel comprometido primer paso hasta que por fin, ya hacia el final de aquel lento bolero, llegó aquel primer beso de la noche, aquel primer beso tan tímido como furtivo y casi infantil, que me transportó de golpe a la finca de La Noguera y al primer encuentro, mudo y también leve, de mis tiernos labios de niño con la piel aún más tierna de Carmencita; aquel primer beso entre los dos y que en mi recuerdo sabía sólo a rosa fresca, aquel primer beso allá en el paraíso de vientos desatados y juegos prohibidos por los tejados en pecado mortal de la Cataluña profunda.

Me dije que era bien raro lo que nos estaba sucediendo, pues normalmente no solían dejar las escaramuzas amorosas de la infancia vínculos y huellas tan fuertes como las que estaban apareciendo en aquellos momentos entre Carmen y yo. Me quedé evocando, con cierta perversidad, el recuerdo de aquel turbio momento de la infancia en el que casualmente la falda se le enganchó a la fea y raquítica niña de Biafra en el vértice de una teja y pude ver entonces, por vez primera, el vello que sombreaba su pubis, aunque lo vi por poco tiempo, pues ella de inmediato reaccionó con una bofetada que escondía una íntima satisfacción de que yo hubiera visto aquello.

—No sé, pero creo que el misterio del amor, eso que llamamos flechazo, se ha interpuesto entre... —dije iniciando una frase en el centro mismo de la pista de baile del salón de los espejos del Ritz. Pero la frase tenía una notable tendencia a terminar siendo cursi y por suerte la interrumpí a tiempo al optar por la vía, tan atrevida y directa, de darle un beso de verdad a Carmen, un beso con toda la lengua, un beso nada tímido y al que siguió la risa fresca y la tos oculta tras el pañuelo rosa, una risa descarada y muy obscena en esta ocasión, una risa que mostraba una dentadura perfecta preparada para con suavidad morder, una risa que sembró el pánico y el escándalo entre nuestros más cerriles familiares.

Estaba claro que había llegado la hora de desaparecer de allí, la hora de dirigirse a paso ligero hacia la salida y evitar como fuera que se prolongara el escándalo. Pero no siempre se llega a la calle con la facilidad que suelen hacerlo en las novelas los personajes que acaban de enamorarse y abandonan el salón de baile entre la música embriagadora de unos violines que lloran con desidia las notas más románticas de una canción de amor inolvidable...

Nosotros no éramos los personajes de ninguna novela y nada fácil nos resultó alcanzar la calle, pues antes tuvimos que pasar por el engorro del guardarropía. Allí nos esperaba un engorro mayor. Un caballero rural y artista bohemio. Un señor de Berga llamado Arturo Palau, tío Arturo, el padre de Carmen. Nos estaba mirando, brazos en jarras y plantado militarmente ante aquel guardarropía, frunciendo el ceño y con su ojo —sólo tenía uno— totalmente furioso, como si no aprobara para nada que su hija y yo tratáramos de abandonar el Ritz.

Parecía un obstáculo insalvable, pero muy pronto, y la verdad es que fue un grandísimo alivio, vi que si no aceptaba de buen grado que alcanzáramos tan fácilmente la calle no era porque se opusiera a que Carmen y yo quisiéramos proseguir, lejos de toda indiscreta mirada familiar, nuestro incipiente y galopante idilio. No, no era por nada de todo eso. Don Arturo Palau, tío Arturo, que era el único artista que la familia de mi madre había dado al mundo —se trataba de un hombre obsesionado en pintar naturalezas muertas, y tal vez por eso, a modo de reacción, a su hija Carmen la fascinaban tanto las naturalezas vivas, los volcanes para ser más exactos—, quería simplemente saber por qué Máximo no había asistido a aquella boda y cómo le marchaban las cosas por la isla de Beranda.

Tío Arturo era, pues, un obstáculo engorroso pero fácil de salvar si uno le dedicaba unos minutos y le informaba acerca de la vida que en el Caribe llevaba Máximo, su admirado sobrino Máximo, al que consideraba el genio de la familia. Me quedé mirando a tío Arturo con el mismo estupor de siempre. Apenas podía verse cómo era su rostro, que entre otras cosas aparecía medio tapado por una peluca que parecía un gorro de astracán, un parche negro en el ojo derecho y la abundante y poblada barba blanca. Me quedé mirando con el mismo estupor de siempre aquel rostro que más bien parecía cubierto por un pasamontañas. Lo había visto mucho en los últimos tiempos. Así como a su hija Carmen no la veía desde la época ya remota de la infancia, desgraciadamente de tío Arturo no podía decir lo mismo, pues había tenido la mala suerte de cruzarme más de una vez con él por las escaleras del inmueble de Sant Gervasi, al que nuestro rural y latoso tío bohemio acudía siempre sin avisar —se sabía pesado, y eso le hacía serlo aún más—, en busca de la compañía de Máximo, al que admiraba por su gran técnica con los pinceles al tiempo que, en maniobra tan boba como algo infame y que en todo caso delataba cierta demencia senil, intentaba en sus visitas reconducir hacia la pintura de bodegones, que para él era el atajo ideal para desembocar en el arte clásico.

Con lo dicho, es fácil suponer que Máximo vio siempre en tío Arturo, un enemigo acérrimo de la pintura moderna, algo así como el eco más plúmbeo de la más siniestra de sus pesadillas. Y es que el padre de Carmen, por encima de todo, era un verdadero pelmazo. Me acordé, viéndole allí en jarras frente al guardarropía, de la última vez que me había cruzado con él por el inmueble, exactamente dos noches después de que yo regresara de la India, cuando me lo encontré perdido por la escalera y tuve que ser yo mismo quien le informara de que su admirado Máximo, el genio de la familia, ya no estaba en Barcelona sino en una isla del Caribe llamada Beranda, al noreste de Venezuela, y que por tanto ya no estaba para sus consejos ni para sus bodegones y sólo atendía a la llamada del Caribe y a los silbidos sensuales de una mulata. Tío Arturo, en esa ocasión, tras reponerse del efecto que le habían causado mis palabras, me dijo con voz lúgubre si era cierto lo que estaba viendo con su único ojo. Se refería a que yo sólo tenía un brazo. Como no le respondí, volvió de nuevo a su discurso central y a interesarse por Máximo y quiso entonces saber cómo le marchaban a mi hermano las cosas por aquella isla del Caribe de nombre tan interesante pero tan raro.

Es la misma pregunta que me hizo aquel día en el guardarropía del Ritz. La misma pregunta, idéntica. En esa ocasión, yo me limité a mirar angustiado a Carmen, que estaba apoyada —bellísima— sobre el mármol del mostrador del guardarropía, y a confirmar lo que suponía: estaba la pobre algo apurada e intranquila, posiblemente porque temía que aquella aparición de su fantasmal y latoso padre acabara despertando en mí el recuerdo y la conciencia de lo terribles que eran, cada uno en su estilo diferente, sus progenitores. Porque si tío Arturo había sido siempre, además de un pelmazo y de un entusiasta cultivador de la demencia senil, el ejemplo clásico del perfecto neurótico —bastaba para confirmar esto con hundir la mirada de uno en su inquieto y furioso ojo sano o en su peluca astracanada—, sólo temor podía infundirle a Carmen que me dedicara a evocar el terrible recuerdo de su madre loca y por suerte ya muerta, encerrada tantos años en un torreón de La Noguera porque, un día aciago y tras el casual descubrimiento de los primeros signos de vejez en su rostro, y en reacción que guarda un aire familiar con la que tuvo Antonio cuando se negó a envejecer y a aceptar que en su vida se inauguraba la etapa del descenso y se dio muerte por mano propia, ella comenzó a delirar al creerse muy en serio que su decadencia física procedía del hecho de ser nada menos que la hija del extraño cruce entre su madre y un lobo, y durante mucho tiempo estuvo amenizando sin piedad la vida tranquila de La Noguera con sus dramáticos y escalofriantes aullidos de madrugada.

Con unos padres así, Carmen daba que pensar, sobre todo si uno acababa de hacerle una propuesta de matrimonio. La vi ciertamente apurada, posiblemente por si estaba yo dando demasiadas vueltas, vueltas y más vueltas a la historia de sus padres, sobre todo a los aullidos de su señora madre. Sí. Carmen daba que pensar. Y, en efecto, le estuve dando algunas vueltas a todo ese mundo raro de sus padres, yo allí parado frente al guardarropía, hasta que un graznido de tío Arturo me devolvió de golpe a la realidad del momento.

Tío Arturo, cansado de aguardar a que le diera noticias de Máximo, se había puesto —como si fuera él mis pensamientos— a dar vueltas a mi alrededor, y su nervioso deambular parecía el de un pájaro enjaulado. Carmen me dio un codazo para que me animara a contestarle algo a su padre, y entonces fue cuando me puse a explicarle —todo inventado sobre la marcha— lo poco que sabía de la vida de Máximo por tierras de Beranda, ya que sólo nos había llegado desde la capital de esa isla una carta —en realidad no nos había llegado ninguna, no había contestado ni a la invitación de boda de Antonio— en la que se limitaba a hablarnos del dulce clima del Caribe y a contarnos cuatro banalidades más.

—¿Como cuáles? —preguntó muy ansioso.

—No sé. Pues, por ejemplo —dije haciendo un esfuerzo por seguir inventando sobre la marcha—, nos dice que Rosita Romero, o sea su flamante esposa, triunfa todas las noches en un cabaret llamado... —no se me ocurría ningún nombre—, bueno, ahora no me acuerdo, pero ya se lo diré...

Me miró con cara triste y de gran decepción, como si no conocer el nombre de ese cabaret fuera algo que le restara información acerca de la vida de Máximo.

—Ah, sí —dije finalmente—. Creo que ya me acuerdo. Se llama Tropicana. Sí. Ése es el nombre.

Tío Arturo enarcó una ceja, la de su ojo parcheado y furioso. Le vi bastante perplejo.

—¿Y qué más cuenta? —preguntó.

—¿Quién?

—¿Quién va a ser? Máximo.

—¿Máximo? Nada más.

Fue entonces cuando, totalmente fuera de sí, me amenazó con contratar a un investigador privado que seguiría los pasos perdidos de su adorado Máximo en Beranda. Curiosa ocurrencia. Sobre todo vista desde mi perspectiva de ahora. Me recuerda a la ocurrencia de aquel narrador de una novela de Raymond Queneau que contrata a un detective para que le ayude a recuperar los personajes que se le han extraviado, pues con el tiempo tío Arturo, sin saberlo, ha terminado por hacerme un gran favor con su extraña ocurrencia de ese día, y es que hoy no puedo dejar de verlo como un casual pero providencial y muy valioso colaborador de este dietario de los tres tucanes, ya que últimamente, de tanto entretenerme recordando cómo cortejaba yo a la maravillosa Carmen en los salones del Ritz, se me había extraviado más de la cuenta mi querido y añorado pálido pintor de tumba etrusca, mi hermano Máximo.

—¿Estás seguro de que nada más? —insistió con una voz de trueno que, por unos momentos, me asustó incluso.

—Sí, algo más, algo más —dije inventando de nuevo sobre la marcha—. Se dedica a pintar los bellos atardeceres caribeños en los cafés al aire libre de Beranda.

—¿Como Gauguin?

—No sé cuántas veces le he dicho, tío Arturo, que no me interesa el arte. Me suena ese Gauguin del que me habla, pero me va a sonar toda la vida, sólo eso, me sonará, no quiero saber nada de él ni de otros pintores. No quiero ser artista y desgraciado, que es lo que fue mi padre, y lo que son mis hermanos. ¿Puede entenderme de una maldita vez, tío Arturo?

—Pues ahora te vas a enterar de quién es tu tío y de quién es Gauguin —me dijo muy enojado, de nuevo muy fuera de sí—. Gauguin fue un petardo, un moderno, un indeseable, un horror.

Mi paciencia con la demencia senil de mi tío había llegado, sin lugar a dudas, a un límite. Le hice una señal a Carmen y, poco después, a paso ligero, nos plantábamos ante la puerta giratoria del hotel y alcanzábamos, a la mayor velocidad del mundo, la calle, avanzando luego por ella, también muy deprisa, casi corriendo por una Gran Vía recién regada y entrando disparados en un local cercano, el Snooker, un lugar por aquellos días de moda en Barcelona, y allí hubo cócteis variados y muchos besos y confidencias.

Ocurre con los besos como con las confidencias: se atraen, se aceleran, se acaloran unos a otros. Entre las confidencias de Carmen estuvo la de que, tal vez por influencia de su padre, siempre había creído que yo era un bala perdida y viajera que no estaba a la altura de la inteligencia de mis otros dos hermanos, sobre todo de la de Máximo, que era el genio de la familia.

Me defendí como pude, le conté mi visión del mundo y de la vida.

—Para mí —le dije— sólo hay tres maneras de ponerse el mundo por montera. Una es ser inmensamente rico, estilo Onassis para entendernos, otra ser un grandísimo y genial artista indiscutible, como Picasso o como ese manco que escribió el Quijote, y ahí tampoco valen pues las medias tintas, y por eso no me apetece nada seguir los pasos artísticos de mis dos mediocres hermanos. La tercera fórmula está más a mi alcance. Es vivir bajo un puente y ser un vagabundo, un hombre libre que se ríe de todo y procura disfrutar de la brisa y del viento. Es la que está más a mi alcance, sobre todo cuando viajo, y por tanto la única que me interesa. Ahora ya sabes, pues, cuál es mi filosofía de la vida.

Nos acostamos juntos cuando cerraron el Snooker. En un pequeño y confortable hotel del barrio de Sarrià, en la calle del Avión Plus Ultra, y fue aquélla una noche de amor genial, como lo serían tantas entre nosotros dos a partir de aquel día. Parodiando antiguos gestos míos en los tejados de La Noguera, renové al despertarnos mi propuesta de matrimonio, que fue recibida, al amanecer, con júbilo y con aquella risa tan seductora de ella y con aquella delicada tos amortiguada tras el pañuelo rosa. Pero se había producido un lamentable equívoco. Carmen había dado por sobrentendido desde el primer momento que yo le proponía casarnos por la Iglesia, pues soñaba con un impoluto traje blanco de boda que desfilaba, entre la admiración de las solteras, por una capilla pintada de rosa pálido.

Me entristeció tener que desilusionarla y decirle que nuestra boda sería por lo civil, pues casarme por la Iglesia iba en contra de mis principios de vagabundo feliz. Hubo una dulce, aunque algo desesperada también, resistencia por parte de Carmen, y tuve que recurrir a una compleja artimaña para convencerla de que lo mejor era una boda por lo civil.

Para que lo comprendiera, dejamos atrás al mediodía la calle del Avión Plus Ultra y con la ayuda de un taxi buscamos por toda la ciudad una iglesia donde estuviera celebrándose en aquellos momentos alguna ceremonia religiosa. Finalmente, tras una larga búsqueda dimos con una boda en una capilla de las afueras, y el taxista parecía el más contento de todos de haberla encontrado. Como sólo le faltaba ponerse a saltar de alegría, decidí prescindir de sus servicios, en la sospecha de que se reía de nosotros. Le pagamos lo justo, no le dimos ni la menor propina, le dijimos que todo aquello no iba con él y que se marchara cuanto antes y dejara en paz a una pareja de enamorados que ya no le necesitaban.

Se marchó el taxi sin saber que dejaba atrás una estela de tristeza y decepción por lo que iba a perderse, se marchó el taxi dejándonos frente a una iglesia gris y moderna y falta de la menor gracia, en realidad una vivienda infernal, de color hollín en su interior, con sus escalones rojizos descendiendo hacia una calle color fango y con un letrero en la puerta que reproducía una extraña frase bíblica que más bien parecía una invitación —al menos eso es lo que traté que viera Carmen— a no casarse jamás de los jamases en una sucursal tan horrible del Episcopado.

—No sé que has querido decir con eso —me dijo ella.

—Pues bien sencillo. Que no hay que descender nunca por unos escalones como éstos hacia una calle color fango, y menos aún, permitir que te case el último empleado del señor obispo.

Se estaba celebrando allí una boda y había mucha gente aguardando a que terminara la ceremonia, y entre la pequeña multitud de monstruos que esperaban fuera había un número muy considerable de perros y perritos que parecían estar echando todo tipo de cacas y de maldiciones protestantes a los pobres cónyuges católicos.

—Piénsalo bien —le dije a Carmen—. Todo esto podría perfectamente pasarnos a nosotros. ¿Te imaginas qué horror?

Un grupo de niñas increíblemente idiotas, vestidas con capuchas de caperucitas y largos y horrendos vestidos color lila, se alineaban a ambos lados de la escalera y soltaban de vez en cuando risitas nerviosas, al tiempo que dos fotógrafos bostezaban mientras preparaban sus cámaras intuyendo que de un momento a otro aparecerían los recién casados. Cuando esto sucedió, un Mercedes adornado con cintas blancas se situó al pie de la escalera aguardando a los novios mientras las niñas de las caperucitas, provistas de bolsas llenas de pétalos de papel, se preparaban para derribar a los nuevos cónyuges. En cuanto los tuvieron a su alcance, les mandaron una impresionante lluvia de pétalos falsos, y a punto estuvieron los dos de perder el equilibrio y bajar, como si de un tobogán se tratara, directamente a la calle por las escaleras rojas, directamente, y en descenso infernal, a la monstruosa calle de color fango con mierda de perros de los mirones.

—Ahora vas a ver cómo odian al novio —le anuncié a Carmen anticipándome a los acontecimientos pero sabiendo muy bien lo que iba a pasar, pues no en vano yo tenía una gran experiencia en bodas y banquetes. Y en efecto, cuando el pobre muchacho, el novio, un hombre muy narigudo y muy largo y un poco echado hacia adelante, lo que creaba la impresión de

que andaba sobre zancos, se deslizó sonriendo hacia la portezuela del coche, un pelirrojo asesino le lanzó a quemarropa
un brutal puñado de arroz en plena cara.

—Supongo que no querrás que me suceda algo parecido a
mí —le dije.

—No veo por qué a ti habría de ocurrirte algo de este estilo —me contestó sonriendo divertida de ver lo frágiles que
en el fondo eran todos mis argumentos para no pasar por la
vicaría.

—En todas las bodas —le dije— ocurre lo que has visto, y
los pobres novios son vejados por feroces carcamales resentidos, jóvenes enamorados todavía de la guapa novia. Y yo no
deseo que bajen de Berga todos tus antiguos admiradores y
amantes.

—Gracias por llamarme guapa —se limitó a contestarme.

—No, pero si es que te estoy hablando en serio, no lo tomes a broma, por favor.

Pero se lo tomaba a broma y se reía. Se rió un buen rato
hasta que de pronto dijo que la nuestra *habría* sido una boda
muy tranquila, sólo con los familiares más próximos. Por el
tiempo verbal empleado me pareció entender que ella —su
extrema ductilidad y sumisión casi sin reservas a todas mis
decisiones parecía uno de los rasgos más admirables e interesantes de su carácter— se había dado cuenta de que tenía yo
razón, o bien se había dado por vencida y aceptaba de buen
grado no casarse por la Iglesia. Pero quise asegurarme de que
era así, pues aún cabía —remota, pero existía— la posibilidad
de que hubiera empleado ese tiempo verbal para indicarme
que sólo por lo civil y en pecado no estaba dispuesta a casarse.

—Todas esas ceremonias religiosas son igual de horrendas
—le dije, y me quedé mirándola para ver cómo reaccionaba.

No movió ni un solo músculo de su cara, y parecía algo
triste.

—En todas esas ceremonias —proseguí yo sin tenerlas todas conmigo— siempre hay mirones, que es una tradición
muy cristiana. No falla, Carmen. Te casas por la Iglesia y a

la salida eres el blanco de las miradas de una multitud de amas de casa y otras ovejas descarriadas que te miran como si formaras parte de las ilustraciones de esas revistas del corazón, que son ahora las nuevas biblias...

Entonces fue cuando —el momento será siempre, para mí, inolvidable— Carmen me dijo que no me esforzara más en convencerla, ya que no lo lograría jamás.

—Sin embargo —añadió, y se la veía cada vez más triste— se hará lo que tú digas. Nos casaremos sólo por lo civil.

Yo respiré aliviado, pero por muy poco tiempo, porque descubrí que había en Carmen algo muy misterioso, una especie de alejamiento interno, como si, a pesar de su aparente sencillez y naturalidad, en el fondo de su alma guardase no un secreto, pero sí una reserva espiritual que ninguna persona iba a ser capaz de conocer algún día. Casarme y tratar, sin embargo, de conocer esa extraña reserva, ese fondo desconocido de la persona amada, me pareció un desafío muy atractivo cuando ella, ese día frente a la iglesia aquella horrible, me miró de pronto con súbita melancolía y dijo —sus palabras resuenan hoy como un látigo en mi mente o como un eco trágico en mitad de esta noche y de este insomnio que parecen no tener fin— que lo único que lamentaba profundamente era tener que renunciar al velo blanco de novia.

Si yo quisiera, ahora hasta podría llorar y todo, recordando eso. Porque la quise mucho y en noches tristes como ésta vuelve su fiebre de los días finales y vuelve aquel velo rosa y descubro cuánto la quise y aún la quiero. En noches como ésta lo mejor, recordando todo aquello, sería romper a llorar. En noches como ésta nace el deseo de que mi vida hubiera sido ya desde el primer momento una convalecencia, sin andar. En noches como ésta nace el deseo de maldecir a la vida y ser uno tan sólo marea fresca en un mar tan tibio como lejano. Porque si yo hubiera prestado mayor atención a sus palabras sobre el velo de novia, pienso que tal vez las cosas hubieran ido de forma algo distinta.

—No sé —dijo Carmen—, ha sido siempre la ilusión de mi vida. Porque lo llevó mi madre, lo llevó mi abuela y la madre de mi abuela, y lo han llevado en la familia todas... Y son tan hermosos los velos de las novias...

No tardamos en visitar el despacho de un juez de paz de Barcelona y, a pesar de la absurda prohibición de tío Arturo, casarnos. Recuerdo que hice votos por no volver a cruzarme en mucho tiempo con tío Arturo cuando el avión de Carmen y mío, el avión de nuestra luna de miel, partió hacia Hawai, tierra de volcanes donde Carmen iba a conocer a grandes expertos en la ciencia de los cráteres y donde, sin el menor rubor que pudiera delatar nuestra secreta reserva de ironía, adoramos como locos a la diosa Pele, a la reina del fuego, y colocamos −una antigua y encantadora manía de los vulcanólogos− botellas de ginebra en los cráteres, y presenciamos fascinantes expulsiones de materias ígneas entre las paredes de lava petrificada a orillas del Kilauea, donde participamos en ritos ancestrales y acabamos siendo evacuados por las autoridades locales ante la proximidad de una peligrosa erupción, que en efecto no tardó mucho en producirse, tardó tan poco que hasta tuvimos tiempo de poder presenciarla y de fotografiarla y estudiarla. No sería la última vez que teníamos acceso a un espectáculo así, porque a partir de aquel día serían muchas las erupciones que íbamos a presenciar en directo a lo largo de esa volcánica luna de miel que pareció tener vocación de eternizarse, sobre todo a partir del momento en que decidimos viajar al sur de América y recorrer, desde el Sangay y el Cotopaxi al Tolima, la ruta andina de los volcanes.

El fuego fue la estrella y el monarca de una luna de miel que parecía que nunca llegaría a su fin. Nos gustaba con delirio el fuego, incluso en sus manifestaciones más modestas. El fuego y nuestro amor se volvieron elementos clave de lo que podía acabar siendo un viaje sin retorno, y fueron muchas las veces en las que, como si fuéramos niños de marcadas tendencias traviesas, íbamos a prender hogueras, a cualquier parte, en cualquier lugar de los muchos que íbamos visitando por la ruta andina de los volcanes. Nos hacíamos con leña, la apilábamos, la encendíamos, y poco después −nunca fallaba− quedábamos extasiados como si fuéramos niños que, jugando peligrosamente con fuego, lo estuviéramos descubriendo a cada instante. Pequeños brujos del ardor y de las cenizas, apostábamos por qué hoguera llamearía antes y sería la más alta y la más duradera. Un culto constante al fuego y, sin embargo, aunque no éramos del todo conscientes de ello, no demasiado alejado del viento, del viento y del aire de la infancia en los tejados de La Noguera.

Fuego y aire no contaban con el agua y la tierra. Digo esto porque parecía que nunca se torcería el rumbo de aquella luna de fuego y aire, de aquella luna de miel que parecía no tener final, pero una tarde, ya mucho tiempo después de nuestra boda, habiendo acampado en plena selva y, tras haber cenado entre risas felices y disponiéndonos a seguir riendo comentando las fotografías que durante las últimas jornadas y en compañía de otros vulcanólogos habíamos hecho de lavas fusiformes, se rompió de pronto el hechizo o, mejor dicho, el monótono concierto de las ranas y, a modo de presagio que en ese momento en modo alguno supimos ver, un pájaro conocido con el nombre de «pájaro de la fiebre» comenzó a llamarnos desde un árbol próximo a nuestra tienda. Primero fueron tres notas en escala descendente; después, cinco; luego, cuatro. Las varias notas de la escala se sucedían con una persistencia enloquecedora, y nos veíamos obligados a escucharlas y contarlas, y como no se sabía cuántas iban a ser, los nervios sufrían una verdadera tortura.

—¡Maldito pájaro! —dijo uno de nuestros amigos vulcanólogos—. Esta noche no podremos dormir.

Y así fue, pero no sólo esa noche en la que no pegamos ojo —lo mismo que me ocurre hoy mientras hago votos por caer pronto derrumbado de sueño sobre las páginas de este cuaderno—, sino en muchas de las que siguieron, porque a la mañana siguiente avanzábamos por la selva tropical, entre simios en las ramas, serpientes muy variadas y mariposas, cuando un minúsculo pero fatal incidente hizo zozobrar para siempre la barca de nuestro mundo de fuego y aire.

El rostro de Carmen, la belleza de sus facciones, comenzó a cubrirse de montecillos apezonados, y la fiebre aceleró peligrosamente su corazón. Alguien dijo que no pasaba nada, que eran los mosquitos, y sin embargo yo no había visto mosquito alguno. Resultó que sí que los había y que lo único que ocurría era que esos animales eran invisibles, pues no alcanzaban, con todas sus alas y patas extendidas, ni el milímetro. Por eso ni los había visto. Pero existían. Con sus picaduras habían desfigurado el rostro de Carmen, el rostro más bello —junto al de Rosita, tampoco puedo olvidarlo— que yo he visto en toda mi vida.

Tras casi dos años de feliz e instructivo —por todo lo que había ido aprendiendo sobre la ciencia de los volcanes— viaje de novios, alguien desde la sombra, un ser tan invisible como aquellos malditos mosquitos, parecía estar jugando, desde su lugar oculto, a intentar torcer fatalmente el rumbo de nuestro destino.

La fiebre que se apoderó de Carmen era brutal. Tanto que hasta yo mismo entré en delirio y llegué a pensar que se trataba de un castigo divino para la pobre Carmen, por tener labios tan febriles. Su cuerpo comenzó a enflaquecer de forma alarmante y a crearle sensaciones muy extrañas, como por ejemplo la angustia de sentir que no tenía fibra ni nada capaz de mantener unidos el tórax y las piernas.

Nunca se ve llegar con la máxima claridad la tragedia, que a veces se disfraza de mosquito, y se disfraza tan bien que hasta es invisible. La verdad es que tardamos demasiado en comprender que aquélla podía ser una fiebre incontrolable, pues en un primer momento el médico —en realidad, un curandero— del primer pueblo que se hallaba fuera de la selva, nos prometió que lograría, siempre y cuando a Carmen no la moviéramos de su lecho, fulminar al Mal en cuatro días. Confiar en aquel curandero fue un trágico error. En los días que siguieron lo único remarcable fue que la pobre Carmen enflaqueció ya tanto que empezó a perder lo poco que aún le quedaba de su belleza y a parecerse a la niña que había sido, a aquella niña biafreña y fea que se resguardaba del viento en los tejados de La Noguera.

No recuerdo yo tanto desasosiego y angustia como la vivida en aquellos días al pie del volcán Tolima cuando comprendí que corría riesgo la vida de mi amada, aquellos días en los que comenzó a quedar varada nuestra historia de amor en el puerto peor de las desgracias. Sobre todo a partir del instante en que, cuando nos disponíamos a viajar a Santafé de Bogotá, hizo su aparición un viento de fuerza inusitada, un viento de potencia tan inmensa que parecía capaz de todo, hasta de romper agujas de acero.

De hecho lo fue, capaz de todo. Nos dejó incomunicados con el resto del mundo. No era más que un viento, pero no era el de La Noguera y, además, preludiaba fuertes lluvias. No era más que un viento, pero nos tomó prisioneros al inmovilizarnos al pie del Tolima. No era más que un viento, en realidad sólo un vacío, pero se veía que su furia era más fuerte que la vida y, por supuesto, más fuerte que la triste resistencia que pudiéramos oponer con nuestros temblorosos y frágiles cuerpos, atrapados despiadadamente en las horas y en los días que siguieron y en las que ese viento fue hasta capaz de arrancarle a Carmen de las manos ese espejo con el que ella, horrorizada y en silencio grave, a todas horas se miraba, comprobando casi incrédula cómo la fiebre le había devuelto su aspecto de antaño, el rostro de aquella niña que se resguardaba del viento de Berga en los tejados de su casa, en La Noguera.

Al tercer día pareció que la lluvia amainaba y aproveché para desahogarme y fui a dar un paseo a caballo por los alrededores del campamento. Es uno de los días de mi vida que más difícil me será olvidar. Sucedió que, ya de regreso, me dio por dar un último rodeo y, aun siendo casi de noche, tomé un camino desconocido y bajé a unas peñas donde pronto, en la condensada sombra, me encontré como ciego. Iba tan inseguro que hasta pasé miedo, pero de repente me llegó una sensación de alivio cuando descubrí que mi caballo parecía conocer el camino, quizás porque lo había hecho antes con otros jinetes, eso fue lo que me pareció, porque a medida que la oscuridad crecía su paso se volvía más prudente y sensato. Pero fue un regreso bajo oscuros nubarrones que avisaban de la inminente vuelta de la lluvia y todo tipo, además, de malos presagios, y la prueba de esto, la prueba de que se avecinaban desgracias mayores que las ya sufridas, fue que llegué a toparme, ya cerca del pueblo y del campamento, con un muerto al que varios indios en andas transportaban.

Después, confirmando que los malos presagios estaban ahí, comenzó a llover de nuevo, con mayor fuerza que en los días anteriores, con esa fuerza impresionante de la lluvia en el trópico, y ya no pararía de hacerlo en muchos días, quedando nosotros más atrapados que nunca y comenzando Carmen, además, a empeorar en lo físico pero también en lo mental.

Ese día, al entrar en la tienda donde descansaba, la encontré a ella temblando y con su devastado rostro tapado por un velo rosa. Miré otra vez por si había visto mal. Pero no me había equivocado, no. Atado en torno a la frente y colgando ante la cara, hasta tan abajo que lo agitaba con su febril aliento, llevaba Carmen puesto un velo largo, un velo de seda rosa.

Al día siguiente dejó de temblar y pareció que había mejorado algo, pero aun así no se animó a renunciar al velo rosa, y pasó aquel día y los que siguieron sin quitárselo para nada, contemplando en reflexivo silencio la insistencia del diluvio en el trópico. Todo se había vuelto decididamente hostil y raro. Porque muchas, por ejemplo, eran las veces que yo a Carmen le hablaba y muy pocas las que ella me contestaba, y si lo hacía era para responderme con frases inconexas; frases breves que, con su aire febril y de ritmo acompasado al de la lluvia, agitaban del modo más extraño su velo rosa.

—¿Hasta cuándo seguirá esta lluvia? —preguntaba yo, por ejemplo.

Y entonces Carmen, tras moverse convulsivamente en su cama, acababa extendiendo lánguidamente su mano con un leve gesto, como si esperara que alguien fuera a colocarle un anillo, y decía frases como éstas:

—Vendrán lluvias más claras, vendrán lluvias más oscuras y casi negras.

Fueron días raros y trágicos y en los que, al mismo compás

que Carmen, el clima enloqueció ya casi del todo y se volvió delirante. Yo me acuerdo, por ejemplo, de que el fresco de las primeras horas de la mañana no tardaba en convertirse en una humedad caliente y pastosa. Fueron días en los que la temperatura ingresó en el manicomio de los vendavales. No era fría ni caliente, sino de auténtico escalofrío. Los pies sudaban dentro de los zapatos, y no se sabía qué era más desagradable, si la piel al descubierto o el contacto de la ropa con la piel. Y llegó así un día en el que, de tanto oír llover, a la lluvia ya ni la sentíamos caer, tan sólo veíamos el contorno de los árboles en la niebla en repetidos atardeceres desolados, y siempre, claro está, con la presencia del drama, con el imposible olvido de aquella fiebre que estaba consumiendo a Carmen y que, al igual que la lluvia, no parecía tener intención de escampar nunca.

Fueron días raros y trágicos aquéllos y yo llegué a quedar paralizado, narcotizado bajo la lluvia, viendo cómo la naturaleza se derrumbaba resignada —y yo con ella—, confiando en que en algún momento aquella pesadilla acabaría. Pero la lluvia, con agobiadora monotonía y tristeza, nunca se iba.

—Dejadla tranquila, ella se marchará como vino —dijo de pronto un día, en repentino ataque de sensatez, Carmen.

Pero se adivinaba una risa rara y nerviosa tras el velo rosa. Después, musitó algo que sólo yo entendí.

—¿Qué ha dicho? —preguntó el médico, que andaba sobrando allí, aunque era su casa, pues habíamos trasladado a Carmen a un lugar más confortable que la tienda de campaña.

—Nada —le dije, porque estaba seguro de que no lo entendería y, además, le tenía una manía muy grande, pues cada día él comprobaba una mejoría, pero veía inminente la catástrofe.

—¿Pero qué ha dicho? —insistió.

Le miré a los ojos, le ofrecí un cigarrillo y, con aquella angustia desesperada y sorda que yo sentía frente a aquel mudo y frío fantasma de la muerte que nos había visitado, le dije lo que Carmen había musitado. Fuera llovía con una intensidad nunca vista y, si tengo que decirme a mí mismo la verdad, yo creo que hasta podía oírse el ruido antiguo que hacía la Tierra girando en su oxidado eje.

—Dice que va a morirse, dice que va a casarse.

Aunque seguía diluviando y siguió haciéndolo en las horas siguientes, yo dejé de oír el ruido del agua cuando, cumpliendo la última voluntad de Carmen, la enterramos con su velo rosa, en el cementerio de aquel pueblo al pie del volcán Tolima, donde hay desde entonces una cruz de madera sobre una tumba blanca que contiene un epitafio que es una mentira piadosa —«no envejeció, murió joven, murió hermosa»—, cuyo recuerdo me sobrecoge en noches como ésta cuando me da por no dormir y pensar en ella.

Yo la quise mucho y la querré siempre, y con su muerte supe que ya no encontraría a nadie que me quisiera tanto como ella. Verla morir sin poder hacer nada y ver cómo se extinguía, de aquella forma tan grotesca, tras el velo rosa, me conmovió e hirió hasta el fondo mismo del alma y comenzó ya a divorciarme de la vida llevándome a sospechar si no sería que sólo negándola puede uno vivirla en su verdadera plenitud.

Destrozado, regresé a Barcelona.

Más hundido que nunca, llegué a mi ciudad en peor estado que cuando volví de África o de Asia. Llegué a Barcelona humillado por la más grave de las afrentas de la vida. Volví al inmueble de Sant Gervasi, donde me aguardaba, en la sagrada tercera planta y junto a su flamante esposa Marta y la hija recién parida, el escritor de la familia, mi hermano Antonio, el sedentario, el autor de una obra cada vez más apreciada en España, sobre todo a raíz de su último libro, *Espiando a la reina Pele en Hawai*, cínico ejercicio literario inspirado, según él mismo me confesó, jactándose además de ello y con el mayor de los descaros, en las incultas —«casi hawaianas de tan primitivas que son», dijo mi insigne hermano— cartas y postales que sobre volcanes yo le había enviado a lo largo de aquellos dos últimos años.

Lo recuerdo como si fuera ahora. Sonaron las seis en

punto de la tarde en aquel maravilloso reloj de pared que nuestra madre había comprado en un anticuario de Berga. Las seis campanadas sonaron contundentes, como si quisieran señalarme la frente y decirme que eran los seis golpes secos que acababa de darme la vida. Leí la graciosa leyenda inscrita en el reloj por artesano anónimo: «Quien demasiado me mira pierde su tiempo.» Y sonreí levemente, pero se notaba que estaba triste. No era fácil ocultar que estaba preocupado. Recuerdo muy bien lo que sentía. Yo pensaba: «Alguien me ha jodido.» Yo me decía esto, incapaz de pensar en algo distinto, y me repetía: «Alguien me ha jodido.» Me lo decía, una y otra vez, y la frase retumbaba como doce campanadas juntas, mientras yo cerraba con fuerza mi único puño y contenía la respiración y ahogaba un grito angustiado, llorando en secreto, ligeramente trastornado.

A veces imagino que me voy.

Viajo entonces en una especie de ensueño.

Vuelvo, por ejemplo, a robarle el peine a Botero, y con ese peine, convertido de pronto en peligrosa arma de cinco filos, persigo por Veracruz al culpable de todos mis males y desgracias, persigo por todo el puerto al marino al que he confundido con Dios, y acabo iniciando un trágico descenso a los infiernos del muelle en el que voy a matarlo.

Otras veces, como hace un rato, imagino que doblego el maldito insomnio de esta noche y quedo derrumbado por el sueño sobre las páginas de este cuaderno.

También entonces mi viaje, en este caso inmóvil, es una especie de ensueño.

Imagino por ejemplo, como hace un rato, que me visita la niña Berta en plena noche. Salta sigilosamente de su terraza a la mía y me pide que le cuente historias. Me digo entonces que la otra realidad, la de los otros, la dimensión secreta, por ejemplo, del sueño mexicano de mis vecinos, me ha visitado.

Le cuento historias de animales débiles que se oponen a la fuerza o a la maldad de su enemigo: el cuento del coyote y el conejo, el del coyote y el coatí, el del coyote y el topo.

Cuando agoto las del coyote, le cuento historias de mis héroes favoritos. Historias de Juan el Flojo. De Chico Miserias, que engaña al diablo. De Alonso Zonzo, que acumula todo tipo de meteduras de pata. De Juan Huevón, que se las arregla para matar gigantes y se casa con la hija del rey. De Juan Borrachales, que es engañado por su mujer, que se finge muerta y habitante de las mil y una noches. De Don Cacahuate, finalmente, tan astuto e ingenuo al mismo tiempo.

—¿No sabes más cuentos? —me pregunta la niña.

La luna de plata se refleja en sus tirabuzones.

Le cuento carreras entre el chapulín y el coyote, y también las del grillo y el puma.

—Más. Quiero más cuentos —me exige.

—No hay más —le digo.

Y callo un rato.

—¿Qué te pasa? —pregunta.

—¿No lo ves? Pienso. Pienso en el marino que maté en Veracruz.

Ahora es ella quien calla.

—Anda, Berta —le digo—. ¿Por qué no vuelves con tus padres dormidos? Vuelve con ellos y pídeles que tengan tantita lástima de mí. Nomás eso diles.

Le digo esto y, como me da por pensar que ya estoy despierto, entonces imagino que me voy.

—Me voy —le dije a mi hermano Antonio, el sedentario—. Ya ves que pronto vuelvo al trópico.

112

Y sabe Dios que me fui.

Volví muy pronto al trópico, como si fuera uno de esos blancos que se vuelven locos por el ron y las mulatas.

Pero no era ése precisamente mi caso. Yo volví al trópico para el funeral de Máximo.

Fue en un mes de agosto como éste, sólo que entonces las cosas eran algo distintas de ahora y era yo todavía algo joven y sin surcos en la frente, y a pesar del gran dolor y tristeza por la muerte reciente de Carmen, a la que no había tardado nada en añadirse la de Máximo, y a pesar de ser un pobre diablo manco y de haber recibido ya todo tipo de bofetadas por parte de la vida, aún conservaba por ella, por la maldita vida, cierta ilusión y hasta diría que algo de curiosidad.

Fue en un mes de agosto como éste, sólo que entonces todo era muy distinto y los domingos no me parecían tan horribles como me lo parecen ahora y no padecía yo trastornos de sueño ni insomnios tan devastadores como el de esta noche en la que, de continuar así, voy a bordear sin duda el espanto, aunque es justo también reconocer que el malestar por la ausencia de sueño trae como compensación ver cómo va ocupando cada vez más tiempo de mi vida el dietario, hasta el punto de que fuera de él ya casi no existo, lo que en el fondo no deja de ser lo mejor que podía sucederme, lo que desde el primer momento busqué en el recogimiento, en la escritura: pasar cada vez más tiempo en el mundo de mi pasado, escribiéndolo, y pasar el menor tiempo posible en el presente, inmerso en una cotidianidad que, de vivirla a fondo, no habría de traer más que nuevas desgracias y horrores a mi vida.

He dicho mi vida. Y pienso en las palabras del poeta: De la vida me acuerdo. Pero dónde está.

He dicho mi vida. Si no hace mucho la veía como uno de esos trapos de cocina que se dejan secar al sol y luego se olvidan, no sé por qué ahora, en mitad de esta noche estrellada, la veo más bien como uno de esos ventiladores del trópico que giran en los techos de las cantinas no queriendo

113

molestar a nadie, ni tan siquiera a esas moscas azules que se duermen en sus tranquilas y bonachonas aspas...

Mi vida era así cuando volví al trópico. O mejor dicho hoy la veo así cuando me acuerdo de que volví muy pronto al trópico, volví muy pronto, como si fuera uno de esos blancos que se vuelven locos por el ron y las mulatas. Pero no era ése precisamente mi caso. Yo volví para el funeral de Máximo. Tan cierto esto como que parezco encallado de pronto en este pasaje de mi vida, como si no me atreviera a seguir adelante, como si tuviera un miedo mortal a regresar con la palabra al trópico y estuviera resistiéndome a hacerlo porque supiera que eso me obliga a afrontar el recuerdo tan terrible de lo que, en la intimidad más secreta de mi pensamiento, vengo desde hace un tiempo llamando «el conflicto»: el serio dilema que, a la sombra de las palmeras borrachas de sol, estaba aguardándome en la bella isla de Beranda.

—Me voy —le dije a mi hermano Antonio, el sedentario—. Ya ves que pronto vuelvo al trópico.

Yo volví para el funeral de mi querido y pálido pintor de tumba etrusca, yo volví para el funeral de Máximo.

Hoy, cuando me han pasado tantas cosas y he envejecido tanto, nada me cuesta ya reconocer en Máximo cierta genialidad, que tal vez nació de la necesidad de humillar a su padre, de poner en evidencia ante el mundo entero a quien con tanta gratuidad siempre le maltrató. Nada me cuesta reconocerla hoy. Hoy, cuando me han pasado tantas cosas y he envejecido tanto. Porque la verdad es que en el ayer, en los días del pasado, reconocerla me resultaba más difícil, sobre todo si quien me pedía que lo hiciera era, por ejemplo, tío Arturo, que andaba siempre empeñado en que yo era un palurdo y Máximo el genio más divino.

Pobre tío Arturo. Se extravió un buen día como si fuera el personaje de una novela, y yo nunca me tomé la molestia de contratar a un detective para encontrarlo. Creo que acabó muy mal ese hombre: dando conferencias fanáticas en Manresa y Berga, siempre hablando contra la pintura moderna y viendo, horrorizado, cómo en los bodegones que él pintaba se iba perfilando nada menos que la sombra de una sensibilidad vanguardista, a lo Morandi.

Máximo fue un genio, nada me cuesta hoy reconocerlo. Fue un genio, por mucho que los aplausos mundanos, por lo general siempre tan equivocados, fueron a parar a ese señor de pipa apagada llamado don Antonio Tenorio, el hombre que en lugar de tener el arrojo de escribir *El descenso* se arrojó al vacío, desnucándose tras su peculiar descenso a los infiernos.

Ya de niño se vio que Máximo tenía algo de genio, y eso a pesar de que nuestro padre trataba a toda costa de impedirlo, castigándole sin casi tregua alguna en todo tipo de cuartos oscuros o cámaras pensadas para el estudio. Máximo se pasó toda la infancia castigado. Y sólo en días concretos, como el de los Reyes Magos, se le permitía ser algo feliz, aunque siempre con la perversa idea de aumentar la desdicha del niño en cuanto despertara la luz del día siguiente, destrozándole entonces el alma al pequeño genio privándole de cualquier juguete y enviándole de nuevo a la soledad de los cuartos de castigo.

Un año, Máximo pidió a los Magos de Oriente un teatro portátil. No llegué nunca yo a ver ese juguete, pues por esos días era tan sólo un recién nacido. Pero una fotografía, que con gran cariño conservo y guardo siempre en mi cartera junto a la única y rara carta que Máximo nos envió desde Beranda, muestra al genio de la familia sonriendo, en un día en que mi padre estaba de viaje, plantado en el centro mismo de su escenario móvil y simulando que le iluminaban las falsas bambalinas de su flamante teatro, vestido de cura ante el altar construido por él mismo tras haber mezclado con verdadero arte a una Virgen de Montserrat con un gran número de hortensias robadas al jardín. Se le ve sonriendo, casi feliz, rodeado de niños veraneantes y de la maravillosa criada, que era por lo visto su fiel aliada: Mamerta, la criada de nombre inolvidable.

Por lo que me han contado, todo ese público infantil acudió, aquel día, al jardín de Platja d'Aro con la promesa, por parte de la buena de Mamerta, de una jugosa merienda y con la condición casi expresa, y casi tácitamente aceptada, de que había que llorar a la hora del sermón. Y por lo que sé, casi en broma lloraron aquel día ellos, los niños, pero Mamerta, ay, Dios mío, la criada, la criada lloró de verdad.

Con los años Máximo, ya adolescente, se pasó del teatro portátil a uno de dimensiones también móviles pero más reducidas. Se pasó al teatro de marionetas, pensado para un público muy reducido, tanto que, por tratarse de un espectáculo rigurosamente clandestino —debía estar siempre fuera del alcance de la vista de nuestro padre—, el único espectador allí era yo.

Recuerdo muy bien aquellas funciones clandestinas, siempre con el miedo en el cuerpo por si de improviso regresaba el ogro feroz de nuestro padre. Recuerdo muy bien cómo Máximo, fiel a lo que pienso que fue siempre su visión del mundo, una visión sin duda muy próxima a la de quienes ven el mundo como un teatro, buscaba que yo sólo llorara o riera, pero que en modo alguno, pues a él no le valían las medias tintas, languideciera de vez en cuando en estados de ánimo intermedios.

Yo, que era muy niño y sólo tenía ánimo y sobre todo mucha disposición natural para las escenas pensadas para la risa —quién me ha visto y quién me ve: la vida, a la hora de destrozarnos, tiene la terca paciencia de la marea—, comencé a sentirme incómodo y disgustado el día en que vi que Máximo se empeñaba, se obsesionaba hasta límites casi increíbles en triunfar también ante mí con las escenas pensadas estrictamente para el llanto: escenas de lo más siniestro y muy truculentas, casi siempre todas sobre tristes mártires cristianos —le encantaban, le fascinaron hasta el final de sus días todos esos héroes de medio pelo que, surgidos de las catacumbas, inmolaban sus vidas por una creencia—, a los que fieros leones devoraban espectacularmente, entre los más fieros rugidos, en las arenas de su circo imaginario.

Hoy, cuando a los veintisiete años ya sólo soy un viejo que escribe los recuerdos de una vida que no le ha gustado, sigo viendo como a una maravilla entre las maravillas aquel teatro de marionetas, más real en el recuerdo que el mundo entero y tan fugaz como hermosamente clandestino: el teatro de la infancia.

Y me digo, una vez más, que la visión del mundo de Máximo era profundamente teatral, pues él estaba convencido, creo que tanto como lo estoy yo ahora, de que el hombre está vivo sólo en sus momentos de extremo goce o de pena, y lo demás son tan sólo tediosos entreactos de la puesta en escena, lo demás no importa.

Por eso no creo que deba preocuparme ya más pensando en que los últimos meses de Máximo en Beranda fueron una sucesión sin tregua de momentos de extrema pena. Lo importante es saber que no se aburría al menos, que se sentía vivo. Por eso también debería restarle dramatismo a esa imagen que me he inventado pero que me persigue, dolorosa y obsesivamente, desde el día en que apareció el cuerpo de mi hermano en el fondo de aquel barranco, cerca del Casino Nacional: a altas horas de la madrugada llega sin zapatos y tambaleante, bella y despeinada, llega Rosita al hogar conyugal y, tras haber estado con el chulo de Badajoz, o tal vez tras haber actuado para la policía y la mafia local en el cabaret Chole, o haber perdido todo su dinero en el juego, encuentra al pobre Máximo esperándola despierto, en plena apoteosis de su pena y más etrusco que nunca, envuelto en lágrimas casi femeninas mientras chupa embobado, con su mejor estilo acongojado, el veneno que destila la pintura de sus pinceles.

Con la pena extrema uno también puede sentirse bien. Lo peor, tal como pensaba Máximo, son los estados intermedios, los entreactos, el aburrimiento, los domingos que se eternizan. Prefiero pensar que ese llanto extremo que se apoderó del frágil Máximo en los últimos días de su vida encubría en realidad la íntima felicidad de sentirse más vivo que nunca.

No quiero atormentarme ya más ni darle tanto juego a mi maldita mala conciencia, y prefiero decirme que Máximo vivió sus últimos días con la secreta alegría de ver que, como si de un modélico mártir se tratara, pronto iba a pagar por todas sus culpas, incluida la de haber mordido la manzana y la de haberse casado por la Iglesia; prefiero pensar que Máximo vivió con satisfacción secreta esos últimos días de su vida viendo que pronto iba a pagar por todos sus desafíos al destino y que sería por la propia Rosita merecidamente ajusticiado en el circo de la vida, y así llegaría a su último puerto, de una vez por todas, ese maldito engorro que para él debía de ser su vida conyugal, tan llena de sosos —a causa de su impericia sexual— y al mismo tiempo ambiguos —por la comprensible desidia de ella— actos amorosos que más bien parecían entreactos y sólo servían para salpicar, aún más de sangre y bochorno, el mortal teatro de su matrimonio.

Pero creo que estoy evadiendo el drama de la muerte de mi hermano. Me gustaría, sí, que ese llanto extremo de Máximo en sus últimos días sólo hubiera encubierto la felicidad de sentirse vivo, pero en honor a la verdad no puedo seguir engañándome a mí mismo. Es ridículo afirmar que Máximo juzgaba justa su inmolación. Sólo mi extrema mala conciencia de esta noche explica que haya llegado a escribir que mi hermano, pasándolo tan mal, lo pasaba tan bien. La realidad es mucho más simple. Sencillamente, Máximo se casó con Rosita porque estaba enamorado y se sentía deslumbrado por la extrema belleza de aquella mujer y, viviendo como vivía él en las nubes, tardó una eternidad en sospechar que ella podía estar engañándole —tanto como le había engañado en otros días aquella jovencita contratada por nuestro padre— cuando le repetía a todas horas lo mucho que le quería.

Así de simple. Tan simple como que ese engaño le costó la vida. Sólo cuando vio que ésta peligraba, sólo en el momento en que su vida conyugal se torció de un modo tan rotundo que hasta un ciego lo habría visto, comprendió Máximo que en el gran teatro de la vida le había tocado interpretar, allá en Beranda, el papel de marioneta, de pelele, de juguete trágico de una mujer fatal.

Sólo entonces, cuando por fin descubrió que todos los pasos de Rosita estaban encaminados a deshacerse lo más pronto posible de él, sólo entonces se decidió a romper su silencio y, tras dos años de no haberse dignado escribirnos, nos envió esa carta —se trata de mi recuerdo favorito de Máximo y lo guardo en la cartera junto a la fotografía color sepia de su teatro portátil— en la que un críptico mensaje inicial acababa derivando en la más angustiosa de las peticiones de auxilio.

«Voy a morirme», empezaba diciendo, «y ya todo parece tener otro aspecto y hablar a mis ojos con otra voz. Parece que sea yo quien está cansado de existir y acepta su culpabilidad por haber desafiado a los dioses. Parece que sea yo quien está cansado de vivir, y sin embargo más bien son las cosas y las malas personas de aquí las que se han cansado de que yo las vea. Empiezo a morir en esas cosas y en esas personas. Me quieren matar y ayer mismo, sin ir más lejos, vino la Muerte a vender mercancías a la puerta de mi casa: Vía Jají, kilómetro 25. Desdobló alfombras, sedas y damascos. Queriendo comprarle algo, me dijo que no vendía y cantó una hermosa pero muy triste canción de despedida, nada menos que el bolero de mi perdición...

»Esta carta», añadía con bolígrafo distinto y trazo mucho más firme, «exige una posdata en la que os pida perdón por mi desvarío en las líneas de arriba. Hace un rato me bebí entera una botella de ron y me llegó el desequilibrio. Me perdí en un mar de palabras, porque estaba muy triste, lo sigo estando ahora, sabiendo lo que tengo que deciros. No me toméis por loco o paranoico, pero de un tiempo a esta parte vivo en la sospecha de que existe en Beranda una conjura contra mí. Me ha desaparecido el pasaporte y creo que con eso tratan de evitar que huya. No quiero denunciar por nada del mundo a mi mujer, a la que sigo amando con delirio. Pero ella, triste es decirlo, podría estar al frente de los conjurados. No sabiendo qué hacer, os pido ayuda, vuestra presencia aquí, donde no puedo fiarme ni del cónsul de España, que también parece quererme mal. Venid a verme, os lo suplico. La visita de alguno de vosotros frenaría los planes de los conjurados.»

—Está como una cabra —dijo Antonio cuando en voz alta le leí esta carta—. Siempre lo ha estado, y no hay por qué creerle. Seguro que son ganas de gastarnos alguna broma. Además, cuando se está en peligro de muerte no se pide socorro escribiendo una carta que va a tardar como mínimo tres semanas en llegar a España.

A pesar de este comentario, al que no le faltaba sentido común, decidimos —pues aunque no quería decirlo ante Marta, mi hermano Antonio sabía muy bien cómo las gastaba Rosita, su antigua y nunca destapada amante— tratar de averiguar, a través de la dirección de Beranda, el teléfono de esa casa y, a través de ese teléfono, hablar directamente con Máximo y averiguar si había algo de cierto en sus alarmantes palabras de la carta. Era, para salir de dudas, lo mejor que podíamos hacer. Y así lo hicimos. Tratamos de encontrar ese número de teléfono, pero no existía. La casa de la Vía Jají, kilómetro 25, no tenía teléfono. Estábamos pensando en enviarle un telegrama urgente cuando, una noche, sonó el teléfono en la tercera planta, en la casa del Gran Jefe de Pipa Apagada, mi hermano Antonio. Al descolgar, Marta se encontró con la voz de Máximo, algo ronca y casi irreconocible, al otro lado del hilo telefónico.

—¿Con quién hablo? —preguntó la voz de Máximo sonando muy crispada, casi histérica y acompañada por el tradicional eco que viaja con las palabras en las llamadas transatlánticas.

—Yo soy Marta. ¿Quién es?

—Más alto. Por Dios. Pasan camiones. Más alto. No oigo nada.

—Soy Marta.

—Tengo susto.

Marta quedó paralizada, y parece que en ese momento oyó no sólo pasar camiones, sino que percibió incluso por un momento el rumor del océano.

—Tengo susto —repitió él, como si se hubiera abonado a esa peculiar frase—. Que alguien venga a echarme una mano. Que, por favor, alguien...

Se interrumpió de golpe la comunicación, y ya no hubo otra llamada. La esperamos en vano durante un buen rato, pero nunca llegó.

—¿Qué será eso de que tiene susto y por qué lo repite

tanto? —preguntaba Antonio, una hora después de la llamada, visiblemente alterado, tratando de explicarse lo que sucedía.

Todos en realidad estábamos alterados. Marta, él y yo. Habíamos estado esperando en vano a que volviera a llamar, y poco a poco se habían ido desquiciando nuestros sistemas nerviosos.

—Simplemente eso. Que tiene susto, está bien claro —se me ocurrió contestarle a Antonio.

—Simplemente, simplemente... —dijo Antonio, y nunca le había visto tan crispado e indignado—. Para el tonto de Enrique todo es siempre simple y más que simple, bien simple. Todo es sencillo, el mundo entero es muy simple. La complejidad tan sólo es un invento de los que piensan demasiado. Y encima cree el simple de Enrique que verlo todo bien simple es algo de lo más sano —me miró con verdadera rabia—, y está orgulloso de ser un hombre sencillo, simple, un paleto que viaja. Y así le van las cosas a mi hermanito. Así le van. Ha perdido un brazo, ha perdido a...

Se calló. Si dice lo que iba a decir, lo habría matado.

Porque iba a decir: Ha perdido a Carmen, su mujer.

Me dije que estaba más nervioso que yo y que no valía la pena enfadarse. Pero de pronto me dije lo contrario: aquello era para matarle. Pensé: «Antonio no sabe con quién se la está jugando, no sabe que yo en África, aunque fue en defensa propia, maté a un bandido en Dahomey.»

Me habían dolido demasiado sus palabras, y no pude reprimirme y acabé avanzando hacia su sillón con la idea —lástima que me faltara una mano— de estrangularle. Había faltado a la memoria de Carmen y yo estaba tan fuera de mí que era capaz de todo. Pero a mi instinto asesino africano le faltaba un brazo. Y también, todo hay que decirlo, a última hora recordé que era mi hermano. Terminé reculando, contentándome con imaginármelo a él diciendo que tenía susto y desplomándose de miedo.

Esa noche, en todo caso, sentí —como nunca— verdadero odio hacia mi hermano de pipa apagada y pantuflas rancias. Después, el tiempo suavizaría ese odio y a veces, como sucede ahora, Antonio, en el recuerdo, es una figura hasta querida y añorada, aunque nunca le perdonaré según qué cosas, entre otras el que se suicidara y me dejara en la estacada. Pero hay veces, aquí en S'Estanyol, en las que me pregunto si no hay un cierto aliento de venganza en lo que aquí, en este cuarto frente al mar, llevo modestamente a cabo; me refiero a este dietario en forma de novela, que prolonga y mejora secretamente su obra. Es como si escribiera contra Antonio al dejarlo en entredicho mejorando su estilo, fabricando la novela que no se atrevió a escribir: esta novela que habla de nosotros los Tenorio y de la necesidad de entrar en ese proceso de sensatez que consiste en dedicarse a la noble tarea de envejecer.

Si bien fue el intento de ofender la memoria de Carmen lo que más me molestó de Antonio esa noche, hubo otro detalle que en ese momento me resultó también muy doloroso. Fue la constatación desagradable de que la naturaleza, salvando unas mínimas diferencias entre él y yo —él tenía arrugas y canas, y yo ninguna de las dos cosas—, nos había hecho físicamente muy parecidos.

Me queda de esa noche cierto rencor hacia Antonio y también la impresión de que alcancé —creo que fue hacia la hora de los fantasmas y las brujas— la cima más alta de mi odio a la cultura en general, ese odio que Antonio, con sus actitudes hacia mí y su lamentable espectáculo de pipa apagada y zapatillas roídas, azuzaba con especial intensidad.

Alcanzada la cima de mi odio a la cultura, ya sólo me quedaba descender. Lo lógico es que me hubiera dado cuenta de esto en aquel mismo momento y hubiera iniciado esa bajada a los parajes que hoy, me gusten o no, me acogen y albergan: llanuras tranquilas donde habita la lectura y el recogimiento y la vida es pura ausencia. Pero no. Instalado en la cima y sin comprender que quien sube luego baja, me mantuve, en los días que siguieron, en un imperfecto y tonto equilibrio, tratando de mantenerme en la cumbre de mi desprecio hacia la cultura. Recuerdo que pasé bastantes días en la cuerda floja de esa cumbre cultivando —encantado— la alpabarda, mi gran afición de juventud, y cuando digo alpabarda quiero decir ton-

tera o, por nombrarla de una forma más clara, tontura, la ton-
tedad más absoluta.

Ya digo. Aquel día, nervioso como estaba por aquella rara
llamada de auxilio de Máximo, era absolutamente incapaz de
plantearme ese descenso o cualquier otra cosa. Sólo el paso
del tiempo ha podido acercarme a una visión más completa
—lo que sucedía pero también lo que podía haber sucedido—
de aquella noche en que me llegó la primera oportunidad de
iniciar el descenso al confortable mundo del recogimiento, el
mundo de las letras, y alejarme así, de una vez por todas, de
esa absurda creencia popular de que sólo en la calle se apren-
den las cuestiones fundamentales.

Mi razón de ser hoy la encuentro en la escritura.

Suena perfecta esta frase, pero me pregunto si no es la de-
claración de un cínico. A fin de cuentas, lo único que soy es
un asesino. Un asesino que mata la vida escribiendo, ya que
no tengo nada mejor que hacer, es decir, no tengo, por ejemplo, a una mujer entre mis brazos. Por eso escribo. Por eso y
porque encuentro un placer en estar escondido, y porque estoy desengañado ya para siempre de la vida.

Por eso escribo una frase detrás de otra y lleno compulsi-
vamente, espoleado además por la dureza de este insomnio,
las páginas de este cuaderno secreto. ¿Qué otra cosa podría
hacer un hombre que está arruinado y es un viejo prematuro y
un triste manco? Por eso escribo frases de todo tipo, frases
que, por ejemplo, hablan del tema literario del paso del
tiempo. ¡Ah, sí! El paso del tiempo. Qué lindo tema, que diría
aquel marino al que perseguí, en descenso a los infiernos, por
el muelle viejo de Veracruz.

Sí. El paso del tiempo es un lindo tema. El tiempo se divierte transformando, a través del recuerdo, nuestras visiones
de sucesos pasados. Con ser esto cierto, también lo es que el
recuerdo que en mi vida nunca se ha transformado, el recuerdo que siempre permanece idéntico, pertenece al ámbito
y la esfera del dolor, ese dolor que regresa siempre con la
misma intensidad cuando me acuerdo del momento aquel en
que, dos días después de la llamada de Máximo, nos llegó de

Beranda un lacónico telegrama firmado por Rosita: el anuncio de que nuestro hermano había fallecido en accidente y que disponíamos, de así desearlo, de tiempo suficiente para acudir a su funeral en la isla.

Recuerdo muy bien ese momento, como si fuera ahora. En esta ocasión no sonó campanada alguna en aquel maravilloso reloj de pared que nuestra madre había comprado a un anticuario de Berga. Ninguna campanada intentó golpearme y señalarme la frente y decirme que la vida acababa de darme un nuevo golpe duro y seco. No. Todo sucedió en medio del más profundo estupor y silencio. Recuerdo que atardecía y que seguíamos inmóviles e incrédulos en nuestros sillones y que nadie encendía las lámparas.

Recuerdo muy bien ese momento, como si fuera ahora. Recuerdo lo que sentía. Yo pensaba: «Tiene que haber alguien, en un lugar cualquiera pero desconocido para mí, dedicándose a joderme.» Eso era lo que pensaba, y luego me decía: «A Máximo lo han matado.»

Me vencía la ira y la rabia era infinita cuando, cerrando con asesino instinto mi único puño, me volví trastornado hacia donde estaba Antonio y le dediqué, como si el imitador de papá fuera el culpable de todo, mi sonrisa más helada, y él entonces me preguntó qué me pasaba y si es que le odiaba.

—Me voy —fue lo único que se me ocurrió decirle en aquel momento a mi hermano Antonio, el sedentario—. Ya ves que pronto vuelvo al trópico.

Y sabe Dios que me fui.

Me pasé de nuevo a lo tropical, como hace cualquier blanco que se chifle por el ron y las mulatas. Pero ése no era mi caso. Yo volví al trópico para el funeral de Máximo.

Al atardecer y vista desde el avión la isla de Beranda, situada al norte de la venezolana península de Araya-Paria y a una distancia muy parecida tanto de Tobago como de Trinidad y de Los Testigos, tiene una delicada escritura de espuma alrededor de sus precipicios, y hay carreteras delgadas y fortuitas enroscándose como serpientes en sus montañas.

Al atardecer y vista desde el avión, la isla de Beranda esconde su lado infernal y ofrece tan sólo belleza y dicen que maravilla con facilidad, aunque a mí la verdad es que muy poco me sedujo porque mi malestar era enorme tras la horrible noche sin dormir en el hotel de Caracas y el calvario del día siguiente en la sala de espera del aeropuerto. Mi malestar era absoluto, pues ya no sólo en esa ciudad, hospedado en un hotel con jardín selvático al pie del Monte Ávila, se había cruzado de nuevo en mi camino, impidiéndome dormir toda la noche, el maldito pájaro de la fiebre, el mismo que en tierra de volcanes me había anunciado el látigo que habría de separarnos cruelmente a Carmen y a mí para siempre, sino que, además, el largo retraso en la salida del avión me dejó cruzado de brazos en una horrible sala de espera en la que, para colmo y a modo de prolongación de mi pesadilla nocturna, se disparó una alarma contra robos, cuyas despiadadas notas eran idénticas a las de ese maldito pájaro de la fiebre que, a modo de mal presagio, parecía empeñado en perseguirme.

Lo recuerdo perfectamente. Lo recuerdo muy bien ahora que, a la dolorosa luz de las grandes bombillas de la fábrica que imagino, tengo insomnio y escribo. Primero, tres notas en escala descendente; después, cinco; luego, cuatro. Las varias notas de la escala se sucedían todavía en mi mente con una persistencia enloquecedora cuando al atardecer divisé desde la ventanilla del avión la pequeña isla donde acababa de morir mi hermano.

«Qué extraña es la vida, qué raro es todo», me dije mientras miraba aquella breve isla que mi hermano había elegido para vivir y, sobre todo, para morir.

Recuerdo enfebrecido, por los motores de mi insomnio y por el propio pájaro de la fiebre que ahora vuelve, la larga espera en el aeropuerto. Aguardé junto a las maletas de un frío escalón del aeropuerto mientras el ocaso iluminaba unos muros de ladrillo y pasé un buen rato pensando que no llegaría nunca el taxi que había pedido hasta que éste, muy alargado y sombrío y negro, apareció avanzando sigilosa y lentamente y, avisándome de pronto con el claxon, se detuvo junto al bordillo y, por un instante, pensé que era un coche fúnebre el que llegaba.

—Vía Jají, kilómetro 25 —ordené tímidamente, una vez ya en el interior del taxi.

El conductor se volvió esbozando una enigmática sonrisa. Llevaba un palillo en la boca, dientes oscuros y una cicatriz en la mejilla derecha de su diabólico —sólo en apariencia, pronto descubriría que era un buen hombre— rostro.

—¿Español? —preguntó enseguida.

—Catalán —le dije por pura precaución, pues tal vez ese hombre odiaba a los españoles, y también por puras ganas de confundirle y tenerle callado, entretenido un rato preguntándose qué le había contestado.

—¿Catalán? —preguntó sólo unos segundos después.

—Sí. Catalán. De Barcelona —respondí con fastidio al ver que no me había salido bien la estrategia.

—Aquí en la isla vive un catalán, señor. Su casa está por ese kilómetro de la Jají al que vamos. Sí, vive ahí, si no me equivoco. Aquí todos le conocemos por Tenorito. Nos conocemos todos aquí en la isla. Es pintor. ¿Lo conoce, señor? De Beranda lo pinta todo, hasta las *boîtes de nuit*, señor.

—Hacia su casa vamos. Era mi hermano. He venido para su funeral.

Se hizo un silencio que parecía que iba a hacerse eterno.

—¿No sabe usted que ha muerto? —pregunté finalmente—. La isla es pequeña y aquí se conocen todos. ¿Acaso no sabe que ha muerto?

Siguió todavía un rato callado, como pensativo. Hasta que con voz muy compungida dijo:

—Usted disculpe, señor. No quise ofenderlo. No se moleste por lo de Tenorito... Yo no sabía que su hermano...

Pensé que era el efecto que me hubiera producido saber el

apodo de mi hermano lo que había dejado tan tenso al taxista hasta aquel momento. Pero no era eso lo que en realidad le mantenía inquieto. Se volvió en un semáforo y, mirándome con mucha lástima, me dijo:

—No sé si sabe que ella canta esta noche, señor...

—¿Cómo ha dicho?

Creí que había oído mal, pero no era así. El taxista no se atrevía a repetírmelo. Cuando lo hizo, su voz, entre miedosa y muy vacilante, musitó:

—Que ella canta boleros esta noche, señor.

—¿Dónde? —pregunté simulando que no me había apenas inmutado.

—En un cabaret de la Carretera de la Costa. En el Chole, señor.

Tanto cinismo y descaro por parte de mi cuñada, sabiendo además que yo estaba por llegar a la isla, pues así se lo había anunciado en urgente telegrama, me pareció increíble. Sin duda tenía que existir alguna confusión en todo aquello.

—Me parece que usted y yo nos hemos armado un buen lío, amigo. Veamos —le ofrecí un cigarrillo—. ¿Cuál es su nombre?

—Pascual, para servirle a usted, señor.

—No, por Dios. El de ella. ¿Cómo se llama su cantante?

Pascual, que seguía con su palillo en la boca y que era a todas luces un hombre muy primario, se volvió de nuevo hacia mí, y esta vez lo hizo con su más angelical sonrisa. Se notaba que era un buen hombre, una persona muy simple.

—Marilú —dijo.

Respiré a fondo, aliviado. Pero iba a ser por bien poco tiempo.

—Rosita —rectificó casi de inmediato—. Fuera de la isla es conocida por Rosita Boom Boom Romero, su nombre artístico. Pero aquí, para todos nosotros, ella es Marilú.

Estaba avanzando el crepúsculo a gran velocidad y, en el tiempo de recorrer la Carretera de la Costa y luego enfilar la interminable Vía Jají, cayó de golpe la noche.

—Marilú —le oí musitar, con un tono entre nostálgico y pornográfico.

Luego siguió un largo silencio que Pascual interrumpió de pronto, ya cerca de la casa de Máximo, cuando mirándome a través de su espejo retrovisor preguntó:

—¿Y no es muy extraño que la viuda cante boleros antes del funeral?

—Lo es —dije.

Al llegar a casa de Máximo vimos aparcado frente a la puerta un Alfa Romeo, uno de esos automóviles que recuerdan a felinos en reposo, sinuosos, tranquilos e inmóviles. Pero esos coches son como panteras capaces de pasar de la más absoluta tranquilidad a la carrera vertiginosa en sólo un instante. Eso es lo que ocurrió con aquel Alfa Romeo. De pronto nos iluminaron sus potentes faros y, arrancando con brusquedad, salió disparado y con espectacular estampido. Me pareció ver, en medio de las sombras de la noche, a tres pasajeros en el interior del coche, dos de ellos tocados con sombreros de paja, dos panamás.

En la casa no había nadie, aunque se veía luz en casi todas las numerosas ventanas, como si acabara de ser abandonada precipitadamente. Rompiendo el silencio tibio de la agradable noche insular, me cansé de llamar al timbre y de gritar al vacío el nombre de la viuda y terminé contemplando y admirando con el bueno de Pascual —le había prometido mucho dinero por tener el taxi toda la noche a mi servicio, y poco a poco Pascual iba convirtiéndose en un silencioso amigo y aliado, mi escudero en la isla— la rara fachada, que a mí me recordaba a la de la Casa de las Conchas de Salamanca, con la diferencia de que en lugar de conchas había una gran cantidad de máscaras.

Las máscaras de Beranda, pensé. Posiblemente se había aficionado a ellas el pobre Máximo y se había entretenido decorando la fachada típicamente caribeña de su casa con toda aquella parafernalia tan acorde con su extravagante carácter y su singular estilo personal. Había más que máscaras muchas mascarillas de difuntos que se repetían casi obsesivamente, todas menos una que, por su originalidad, llamó mucho mi atención. Se trataba de una mascarilla mortuoria que reproducía el rostro de un negro enredado, con gesto de pánico, en un mosquitero.

—¿Ha visto esa máscara? —pregunté a Pascual.

—Ése era su hermano —fue su respuesta.

Le miré con la lógica turbación.

—¿Cómo dice?

—Perdone, no debe haberme entendido —explicó entonces él—. He querido decir que en ese Alfa Romeo iba su hermano. ¿O es que no lo ha visto?

—Por el amor de Dios. ¿Qué dice? Mi hermano ha muerto.

—Iba en el Alfa Romeo —insistió imperturbable—. ¿Cómo es que no lo ha visto? Viajaba en el asiento trasero de su coche, señor.

—¿De su coche?

—No hay otro Alfa Romeo en la isla, señor.

—Pero, por el amor de Dios, no creo yo en aparecidos.

—Pues le saludó, señor. Agitó su mano, le dijo adiós.

—No puede ser verdad.

Se me quedó cara de imbécil mirando la casa de Máximo con todas las luces encendidas y sin nadie dentro. No entendía nada. Le pedí a Pascual que me llevara, primero, a un hotel y que luego me acercara a ese cabaret donde actuaba mi cuñada, pues lo mejor sería hablar con ella lo más pronto posible y aclarar las cosas.

Tomé un cuarto en el Hostal Sivori, donde tampoco nada sabían de Máximo, nadie había oído hablar de su muerte. El hostal estaba frente al puerto. Dejé allí rápidamente mi equipaje y salí de nuevo a la calle. Vimos, entre la maraña de velas y de mástiles manchados de salitre, un festivo bergantín que atracaba con gran desconcierto de cuerdas. Había un inmenso griterío, risas salvajes y farolillos encendidos en la alegre cubierta.

—Todo esto tiene un nombre —me dijo Pascual, cada vez más escudero—. Aquí lo llamamos bailongo portuario. Verá muchos, señor. Es algo muy típico de aquí.

—Entre conmigo —le diría poco más tarde a Pascual a las puertas del Chole, donde había una fotografía gigante, tamaño natural, de Rosita mirando a la cámara con las manos en la cintura y muy desafiante. Era una belleza mulata, muy exótica, con esa gracia extraña y serpentina de las caribeñas, y verla, hasta entonces no la había visto nunca, ni en fotografía, provocó en mí pensamientos volcánicos. Quedé conmocionado por su mirar sibilino y las caderas tornátiles, la sonrisa inquietante y los pies de niña desnudos. Tenía toda la razón Antonio cuando decía que tumbaba de espaldas y que era de tal belleza que hasta daba miedo mirarla.

Tuvimos que pasar en la entrada dos rigurosos controles y ser minuciosamente cacheados por si llevábamos armas. Finalmente accedimos al local, que era, como imaginaba, de ambiente más que turbio, con un público muy plural, formado por novios y matrimonios de la isla, muchos turistas y marinos de rostro curtido, todos esperando a que Rosita pisara el escenario.

Mientras esperábamos a que se iniciara el espectáculo, el taxista quiso saber cómo era que me faltaba un brazo. Dio muchos rodeos antes de atreverse a preguntármelo, pero lo cierto es que terminó haciéndolo. No tuve inconveniente en contárselo y, además, con todo lujo de detalles. Le hablé de mi viaje a la India y de su catastrófico final. Pascual terminó recriminándome la odisea de desafiar a un dios oriental.

—Hay que ir con mucho cuidado en todas esas cosas —me advirtió.

—Debes saber —le dije, tuteándole ya— que la vida de los hombres aventureros y nómadas como yo —no las tenía todas conmigo con aquellas frases presumidas y apuré mi tercer vaso de ron berandiano— está sujeta a mil peligros y desventuras, pues siempre estamos arriesgando ante los continuos lances que se presentan en nuestro camino de caballeros andantes o viajeros errantes.

Yo estaba en realidad muy lejos de sentirme orgulloso de mi condición de vagabundo en la vida, pues había empezado ya a sospechar que el nomadismo tal vez no fuera lo que más me convenía, pero la verdad es que ante Pascual me divirtió de pronto adoptar aquel aire solemne y vanidoso.

—Es triste —me dijo él— ver a un joven como usted, señor, con un brazo menos. Pero me digo que hay cosas peores. Yo siempre veo la parte buena de las cosas. Peor sería, por ejemplo, y perdone por la broma de mal gusto, que hubiera perdido la cabeza.

Yo empecé a perderla seguramente en el instante mismo en que Rosita pisó el escenario. Superaba en mucho a la que yo había visto en la fotografía de la entrada. Una mujer de bandera. Imposible permanecer indiferente a ella. Pascual debió de adivinar mi conmoción porque apuró su tercer vaso de ron y me dijo:

—¡Ella toda la vida con hombres, señor! ¡Y no es con blancos! Se ha burlado siempre de Tenorito, ésa es la pura verdad, debe usted saberla. Sólo a veces va con blancos. Como ése, que ahora es su novio, el del sombrero de paja, el que está apoyado en la columna. —Fue la primera vez que vi al chulo de Badajoz—. Pero pocas veces va con blancos. A ella le da sobre todo por los morenos. Es una mujer sinvergüenzada, señor.

No le hice mucho caso, ya sabía que ella era así. Con la ayuda del ron y del diablo, me convertí en una hoguera voraz en la que ardía mi carne mientras sentía que mi espíritu había sufrido un soberbio vuelco, pues tenía aquella mujer la misma, exactamente la misma, mirada y sonrisa que la pobre Carmen. Puede decirse que, en mí, tanto cuerpo como alma habían quedado en éxtasis por unos momentos bajo el influjo diabólico de la belleza espectacular de aquella rotunda mulata de cintura de mosquito.

Podría haber escrito cintura cimbreante. Parece algo ridículo haber escrito que su cintura era de mosquito. Pero lo cierto es que escribiendo hoy sobre el ayer y sobre el fin de mi juventud es sólo rabia y sed de venganza lo que a veces hacia Rosita siento. Aparte de que la verdad es que en el instante de quedar fascinado por su físico y por aquella mirada y sonrisa que me recordaban a Carmen, yo aprecié en ella simplemente una cintura de mosquito, literalmente, para qué negarlo. Después de todo, en los momentos grandiosos también asoman los detalles ridículos.

Rotunda mulata de cintura de mosquito y traje color mamey, de una belleza radiante y con una energía y alegría que parecían hacer invisibles todas las cosas que la rodeaban, pues lo cierto es que para mí desapareció todo a su alrededor y por unos instantes hasta casi me olvidé del pobre Máximo, incapaz yo de pensar y ver otra cosa que no fueran aquellos ojos obsesivos de Rosita persiguiendo la estela invisible de sus pies tan pequeños, de sus pies tan de niña, de sus pies descalzos bailando un zapateado sin zapato alguno, un zapateado a todas luces imaginario, poco antes de comenzar a actuar, y hacerlo con una agresiva canción que parecía conocer lo que un día yo diría de ella en este cuaderno de los tres tucanes: «Según tu punto de vista, yo soy la mala. / Vampiresa en tu novela. La gran tirana. / Cada cual en este mundo cuenta el cuento a su manera, / y lo hace ver de otro modo en la mente de cualquiera.»

A la vampiresa de mi futuro cuaderno le encontré un solo defecto aquella primera vez que la vi. Luego le encontraría muchos y bastante graves, pero aquella primera vez sólo le vi uno, que resultó, además, no serlo. Me pareció que tenía dos arrugas insinuadas en torno a los ojos y pensé: «Ya no es muy joven.» Pensé eso porque por mi edad una mujer de treinta años me parecía mayor, más vieja de lo que en realidad era. Pero cuando algo más tarde la vi en el camerino, aquellas arrugas —justo en el momento en que ella con guasa mulata exclamaba al verme: ¡Cielos, el Tenorio que me faltaba!— ya no estaban, como si no hubieran estado nunca, tal vez porque para aquel entonces yo llevaba un ojo morado y no estaba precisamente para fijarme en muchos detalles.

Para entrar en aquel camerino tuve que pasar por el desagradable trance de tener que sortear la vigilancia que en la puerta realizaba el chulo de Badajoz, un joven de mi edad, pero sin duda mucho más corpulento y con dos musculosos brazos, el amante de Rosita. En un primer momento y por mucho que dije ser el cuñado y haber viajado desde España para el funeral, se limitó a observarme con una sonrisita de menosprecio hasta que, sacándole polvo a su sombrero de paja, me dijo que si insistía en querer entrar se veía obligado a hacerme morder el polvo de su panamá y a celebrar en mi honor ese funeral del que tanto hablaba.

—Será lindo —añadió— verte de cuerpo presente, manco. No sabes tú lo que me gustan los funerales.

—¿Qué has dicho? —pregunté temblando, pero tratando de aparentar un aire firme.

—Tus muertos.

Miré hacia una ventana que estaba abierta en aquel pasillo. Traté de hundir mi mirada en el cielo estrellado en busca de esa señal que se esconde a veces en ciertos detalles que a primera vista nos parecen nimios. Busqué esa señal que a veces acude en mi auxilio y me permite escapar de la embarazosa situación en la que me encuentro atrapado. Hundí a fondo mi mirada y lo único que vi fue el vuelo impertinente de un mosquito. Eso fue todo lo que vi. Girando entonces sobre mí mismo traté con mi triste y único brazo de alcanzar la cara de aquel pobre chulo, pero él frenó fácilmente mi intento de bofetada y, de un solo y certero golpe, en el suelo me dejó tumbado. Se armó tal revuelo que Rosita acabó abriendo la puerta del camerino. Desde el suelo la miré yo extasiado, admirando de nuevo su impecable belleza. Se la veía majestuosa, sin las arrugas que antes le había visto en los ojos, con una verde bata de seda, inmóvil por completo en el umbral.

—¡Cielos! —gritó con guasa mulata—. ¡El Tenorio que me faltaba!

Estaba claro que alguien le había advertido ya de mi presencia en la isla. Ordenó, con gran contundencia, que me dejaran entrar en su camerino. Me puse en pie como pude, el golpe había sido duro, sentía unos deseos inmensos de volarle la cabeza al maldito chulo aquel de Badajoz, entré en el camerino simulando serenidad.

—¿Has venido a ver a tu hermano? —preguntó Rosita mientras se dedicaba a ponerme hielo en el maltrecho ojo.

Era una mulata muy seria. A pesar de la guasa con la que me había recibido, Rosita no era como la mayoría de las mulatas. Era muy sobria y, fuera del escenario, muy estirada. Inteligente y de mirada devoradora, daba la impresión de ser un raro ejemplar de caribeña, una mujer que no reía nunca.

—Se retrasó mi avión, pero esperaba que alguien fuera a buscarme al aeropuerto —le dije.

—¿Pero qué historia es ésa de enviar un telegrama diciendo que vienes a un funeral? Yo ya no vivo con Máximo, pero a veces lo visito. Me encontré con tu raro telegrama. Máximo está vivo. No sé de dónde sacaste la idea contraria. Está vivo y coleando, chupando pinceles como un bobo y negándose a divorciarse de mí. Es todo lo que te puedo decir. De tu hermano la verdad es que estoy harta. No hace más que dar tumbos por los bares de la isla. No hay quien lo aguante.

Le hablé del telegrama que me había enviado ella diciéndome que Máximo había muerto. Se reflejó en su rostro la imagen de la perplejidad misma.

—Nunca te he enviado un telegrama —dijo finalmente—. A ver, déjame pensar. Creo que ese telegrama te lo habrá enviado el juguetón de Máximo estando borrachito. Querrá que vengas a verle y te habrá engañado con eso. En fin, bienvenido a la isla, Enrique. Y ahora no le hagas perder más tiempo a esta mulata.

Hizo una breve pausa y estiró el cuello y luego, más seria que nunca, levantando cada vez más la cabeza y con un orgullo muy íntimo, dijo:

—Yo canto.

Aún no había terminado de decir eso cuando de un potente manotazo en la oreja sacudió a un mosquito que la atacaba.

Hasta en aquellos gestos sin grandeza quedaba uno enredado en el mosquitero de su gran belleza. Y su mirada y su sonrisa —siempre muy triste— eran las de Carmen, lo que aumentaba aún más sobre mí la seducción que ella ejercía. Sentí como un placer extraño estando a su lado. Y hasta se me borró de golpe la conciencia que yo tenía de que mi destino hasta entonces había sido adverso. Todo podía estar cambiando en mi vida. Tenía esa sensación agradable, a la que se mezclaba la alegría de saber que Máximo estaba vivo. Yo, que era un completo desdichado, hice lo que tan a menudo suelen hacer los desgraciados, es decir, imaginarme que a partir de aquel instante iba a cambiar el signo de mi estrella.

Sin ganas pero feliz, salí de aquel camerino. Buscamos con Pascual el Alfa Romeo incansablemente hasta el amanecer, lo buscamos por todos los bares del puerto, por el Casino Nacional, y hasta por los lugares más recónditos. Pero no hubo forma de dar con el coche. Hasta cuatro veces fuimos a la Vía Jají creyendo que ya por fin habría vuelto él a casa, pero allí seguía todo igual, las ventanas abiertas y con luz en el interior, pero ni el menor rastro nunca de mi hermano.

Terminé rendido dándole las gracias al bueno de Pascual y acostándome en mi cuarto del Hostal Sivori. Ya estaba despuntando el nuevo día. Me sentía fatigado e inquieto. Los amaneceres en el trópico, cuando sus macacos aulladores y sus verdes bandadas de guacamayos rinden homenaje al sol, son una pura delicia, sobre todo si en el camino de uno no se cruza el pájaro de la fiebre.

Estaba yo tumbado sobre mi cama, sin decidirme a desnudarme y dormir un poco, cuando me pareció escuchar al pájaro de la fiebre, lo que me condujo de inmediato a iniciar una plegaria íntima para que aquello no fuera cierto y tan sólo se tratara de algo que acababa de imaginar. Pero no. Los guacamayos cada vez eran más silenciados por los enloquecidos sonidos del maldito pájaro de la fiebre. Olvidé cerrar la puerta del cuarto, pero cerré la ventana y corrí las cortinas, me desnudé y me metí en la cama y traté de aislarme del exterior y olvidar las notas desquiciadas del pájaro. Y estando en todo esto no sé cómo fue que dormido me quedé. Pero en el sueño el maldito pájaro proseguía su concierto, continuaba allí, con unas notas todavía mas demoníacas que antes y que fueron lentamente dando paso al enternecedor zumbido de un mosquito. Me vi entonces con facciones y piel de hombre negro y angustiado, enredado en un mosquitero muy agujereado y escuchando el silbido de ese diabólico insecto, cuyo ritmo pausado, cauto y lúgubre notaba yo que armonizaba muy mal con la verdadera velocidad enloquecida de sus satánicos vuelos en la oscuridad.

Pasé la pesadilla entera enredado en el mosquitero inútil, esperando a oscuras los repetidos contactos del insecto con mi cuerpo. Cada vez que uno de éstos se producía, me propinaba yo mismo un sonoro manotazo en la oreja. Me lo propinaba, claro está, con mi única mano. Y recuerdo que entonces el repentino zumbido que se originaba en el interior del oído se mezclaba con el de la huida del impertinente insecto, una retirada engañosa porque siempre se iba el mosquito para poder regresar y recibir así otro nuevo y soberbio manotazo, y así habría seguido todo hasta el fin de los tiempos de no ser porque tanto manotazo y tanto zumbido de mosquito terminaron por dar paso de nuevo a la melodía de fondo, la melodía de la muerte, la melodía del pájaro de la fiebre, al que saludé con un grito de horror, cuyo eco todavía perduraba en mí cuando desperté y frente a la cama, como si fuera la prolongación misma de la pesadilla, vi a Pascual mirándome consternado, en largo y profundo silencio —ahora la melodía era una tonalidad sin notas—, hasta que me dijo:

—Acaban de encontrar muerto a su hermano, señor.

A veces imagino que me voy. Viajo entonces en una especie de ensueño. Vuelvo, por ejemplo, a robarle el peine al señor Botero, y con ese peine convertido de pronto en peligrosa arma vuelvo a descender al muelle viejo del puerto de Veracruz, vuelvo a perseguir a ese infame marino al que confundo con Dios, vuelvo a perseguir al culpable de todos mis males.

Pero otras veces, como sucede ahora, no imagino para nada que me voy o que viajo en una especie de ensueño, y menos aún imagino que doblego este maldito insomnio. Otras veces, como sucede ahora, me limito a decirme que todo cuanto escribo en este cuaderno secreto me lo digo a mí mismo, pero también se lo digo a ese otro, silencioso e implacable, que llevamos dentro y al que no podemos engañar y al que ahora le doy toda la razón cuando me insinúa que en parte estoy escribiendo la historia de mi desdichada vida viajera tratando de explicarme, y así con algo de suerte hasta justificarlo y todo, ese terrible descenso de esa noche al muelle oscuro y viejo. Sí. En parte estoy pasando revista a los distintos desastres que han marcado mi vida tratando de justificar de algún modo ese descenso final al puerto viejo de Veracruz. En parte estoy escribiendo por eso, pero en parte también por el placer secreto de prolongar la obra viajera de don Antonio Tenorio y así al mismo tiempo protegerme de la horrenda vida verdadera escribiendo, que es en realidad lo único que me interesa o, mejor dicho —ya volvió a aparecer el otro—, la única forma de emprender un viaje verdadero.

Otras veces, como me está sucediendo ahora, me limito a decirme que ni me voy ni viajo en ensueño alguno y sólo veo que sigo despierto y que de nada me sirve, en la soledad de este cuarto, que me ponga ahora, tratando de ver mejor y de parecer aún más viejo, estas gafas de miope que heredé del pobre Máximo, porque lo único que logro ver con esto, y lo veo con claridad diáfana, es que no me voy por ahora, que me quedo, que ya para siempre viajaré imaginando que viajo, que me quedo, que no me voy, que me quedo pensando en ella, pensando en aquella mujer de treinta años, en el símbolo de la eterna y antigua serpiente, que me quedo pensando en ella, la muy puta, ahora cuando todo está muerto en este cuarto donde fumo y la luna de Veracruz me hace señas sobre el muro blanco.

Encontraron el Alfa Romeo en el fondo de un barranco, en la carretera que une Puerto Bajío con el Casino Nacional. Todo tenía la apariencia de un típico accidente de carretera y era difícil —menos para quienes, como yo, tenían justificadas sospechas– pensar en un homicidio. Lo raro fue que el jefe de la policía de Beranda pensó desde el primer momento en lo más difícil, pensó –y así lo confirmó muy pronto la versión oficial– en un suicidio. Me pareció como mínimo extraña aquella deducción tan rebuscada y precipitada del jefe de la policía. Pero la versión oficial se esforzaba en ser normal y convincente y daba por hecho –como si estuviera tan claro– que Máximo había despeñado voluntariamente su coche por aquel barranco –barranca decían en Beranda–, como lo demostraba su reiterado voceo en los días anteriores por toda la isla diciendo que iba a matarse y aquella Carta al Juez que le habían encontrado en un bolsillo de su americana.

Pero aquella carta, aparte de no ser exactamente una carta, no era en realidad más que una de tantas y tantas frases que se le ocurrían a Máximo cuando, sintiéndose a veces heredero del lenguaje de nuestra catalana madre, inventaba de pronto frases que luego apuntaba en hojas sueltas con la intención de trasladarlas más tarde a alguno de sus cuadros. Eran, por lo general, notas más bien irónicas, apuntes rápidos, como traducidos del catalán al castellano: algo así como textos rimados de esos que se encuentran al pie de esas series de estampas catalanas que forman un *auca*, que es algo parecido a un aleluya.

La nota que le encontraron, o decían haberle encontrado en el bolsillo, tenía bien poco, por no decir nada, de carta de despedida de un suicida. Era entre otras cosas muy poco seria: «De expansión en expansión se va pasando la vida y en la postrera ilusión la materia consumida halla fosa y conclusión.» Tenía bien poco de carta de despedida y, además, aunque se había disimulado casi a la perfección, para mí estaba muy claro que era otra tinta y otra persona la que había encabezado aquel texto con el título de Carta al Juez.

Por muy extravagante que fuera mi querido Máximo, yo estaba convencido, pues le conocía bien, de que no se habría despedido de este mundo sabiendo, como posiblemente sabía, que yo estaba por llegar a la isla, y menos aún se habría despedido de esa forma, haciendo el ridículo con unos versos de estilo tan rancio y, además, colocados en el bolsillo de una americana que había que ir a buscar al fondo de un precipi-cio. No. Era impensable que Máximo hubiera obrado de esa forma. Se confirmaba para mí lo que ya suponía cuando salí de Barcelona, es decir, que a Máximo lo habían matado, po-siblemente para que Rosita pudiera heredar. Se confirmaba esta sospecha, que más bien parecía pertenecer al mundo de una película de intriga que a la vida real. Se confirmaba así lo que con buen criterio sospechaba cuando salí del inmue-ble de Sant Gervasi, pero con el pequeño detalle de que cuando salí de allí y sospechaba que a Máximo lo habían eli-minado, aún no lo habían ni mucho menos matado, pero este detalle era algo que a fin de cuentas no cambiaba mucho las cosas en ese momento, pues después de todo y al final de tan soberano enredo, lo único cierto era que, un día antes o uno después, Máximo en cualquier caso había caído ase-sinado.

Lo habían asesinado, eso estaba muy claro para mí. Pero para el jefe de la policía —un hombrecillo arrugado y maci-lento con el pelo encrespado como un estropajo de algodón— mi hermano se había suicidado. Si su obstinación en esto ya era de por sí sorprendente, más raro aún fue que el cónsul de España en la isla también bendijera, en cuanto pisó la co-misaría, esa idea de la muerte por mano propia. En vano traté de refutarles sus frágiles teorías. El cónsul, además, se negó rotundamente a analizar cuestiones e incógnitas que planeaban en torno al caso, siendo una de ellas —se hizo el loco cuando se la planteé— saber por qué le había negado a Máximo un nuevo pasaporte.

—¿Y quién le ha dicho algo semejante? —preguntó.

—El propio Máximo. ¿O es que piensa que no escribía a su familia? Quería marcharse de la isla para que no lo mata-ran. Pero usted le negó el pasaporte.

—Mire, joven, tiene usted mucha imaginación.

Estallé de ira. Me salió con efecto retardado aquel males-tar profundo que me había provocado la muerte de mi que-rido Máximo. Exigí con gritos que detuvieran a los dos hom-bres tocados con sendos panamás —el chulo de Badajoz podía ser uno de ellos– que había visto sentados en el Alfa Romeo la noche anterior.

–Será mejor que se calme –dijo el jefe de la policía. Y en ese momento llegó Rosita. Más guapa que nunca y vistiendo un traje verde de algodón. No podía decirse que fuera vestida de viuda precisamente. Pero al verme actuó como tal y se arrojó, gimiendo, en mis brazos, invitándome a que me trasladara con ella a la casa de la Vía Jají, donde dijo, entre sollozos teatrales, que podríamos preparar con calma ese funeral que había terminado por convertirse en una realidad. Me citó a las ocho de la noche, porque antes debía hacer una multitud de recados y organizar su regreso a la casa de Jají, de la que unos meses antes había tenido que huir con tanta tristeza. Nos veríamos a esa hora, a las ocho, en la puerta de la casa.

–¿Más tranquilo, joven? –me preguntó el cónsul, al que se le notaban muchas ganas de olvidarse pronto de todo aquel asunto que no le daba más que trabajo, sobre todo el trabajo que siempre da ser cómplice de un crimen.

Rosita, a la que tanto el cónsul como el jefe de la policía llamaban con familiaridad Marilú, sollozaba leve y teatralmente entre mis brazos, y yo empecé a notar muy cerca el temblor de sus labios frescos y rojos y tan fragantes. Queriéndome apartar de aquella tentación inmensa, me quedé mirando al techo, imaginando cómo habrían sido los últimos meses de mi hermano en la isla, y lo vi de pronto caminando por una playa de arena blanca, de madrugada, con la sola compañía de unos velocísimos lagartos y las olas, lo vi como una sombra trágica y desolada, la sombra de una persona sola y triste y arrugada por la vida, vagando y divagando a la orilla de un mar de pesadilla, un mar entre gris y morado, el mar de un mal sueño.

Como tenía toda la mañana por delante y hasta las dos de la tarde no debía acudir al Instituto Forense, contraté de nuevo los servicios de Pascual; necesitaba la compañía de alguien que me ayudara a reflexionar en voz alta. No quería quedarme solo, pensando. No quería quedarme sentado en un banco azul mirando al horizonte y esperando a que llegaran las dos de la tarde para afrontar el mal trago de ver a mi hermano muerto.

Propuso entonces Pascual un paseo en uno de los barcos que por la noche se dedicaban al bailongo portuario. Me pareció mejor idea que la otra que tuvo, la de dar una vuelta en taxi por toda la isla. Subimos a un viejo barco, el *Magnolia*, y nos encontramos de pronto rodeados de horrendos turistas y de una orquesta de negros que parecía estar medio dormida mientras hacía horas extra tocando músicas de Beranda y del Caribe en difíciles malabarismos sobre el sueño que arrastraban todos.

Me acuerdo muy bien de una de esas canciones porque la repitieron tres veces a petición del distinguido público. Es una canción que siempre asociaré a la visión atroz de aquella cremallera en el vientre de mi hermano —una visión que me esperaba a las dos de la tarde, discretamente agazapada en el Instituto Forense—, pero también a la imagen estimulante del vientre liso y terso y tan mulato de Rosita, una visión que me esperaba al final del día, la visión de un vientre magnético que iba a tener ocasión de ver muy de cerca y estando en ese momento envuelto yo en una nube de droga mientras Rosita me repetía, o más bien me susurraba, la letra de ese bolero que hablaba de una viajera que iba por cielo y por mar dejando en los corazones latir de pasión, vibrar de canción, y luego mil decepciones.

Desde el barco contemplé en silencio Puerto Bajío, que parecía el lugar más tranquilo de la tierra. El mar estaba muy calmo, el mar era una superficie clara de azul casi cobalto, a veces rayada por una ancha costura de un azul profundo que alguien explicó que era no sé qué misteriosa corriente que procedía de las islas de Trinidad y Tobago. Había unas pocas olas diminutas y muchas gaviotas chillando como locas, y había unas cuantas nubes también, nubes sucias, aunque por fortuna el sol brillaba fuera de ellas, y Puerto Bajío parecía la ciudad más blanca del mundo y también podía parecer, si la mirada de uno se volvía algo vidriosa, una pantalla de cine, una pantalla blanca e impoluta sobre la que nada me habría sorprendido ver de pronto proyectadas las escenas principales de las siguientes horas de mi vida allí en la isla.

Y es que en Beranda vivía yo constantemente la extraña y más bien desagradable sensación de estar metido dentro de una película. Los decorados, las situaciones, los ventiladores y las mulatas, el ron, todo me remitía a una película antigua, de serie negra. Maldita la gracia que me hacía. Yo siempre había querido vivir con intensidad la vida, pero no dentro de una película. En realidad, el cine no me gustaba nada, sobre todo porque nunca me había divertido la idea de ser espectador de historias ajenas, tener que presenciar las aventuras de los demás; prefería vivirlas yo, a mí lo que me gustaba era que las historias me ocurrieran a mí y que eso sucediera lo más lejos posible de una película. No es extraño, pues, que en Beranda, y a medida que crecía en mí la sensación de estar dentro de una película, fuera sintiéndome cada vez mas incómodo. Para colmo, me aburría. Al dejar el barco y pisar tierra, vi que me quedaban dos horas todavía para visitar el Instituto Forense y ocho para encontrarme con Rosita en la casa de la Vía Jají. Entonces al bueno de Pascual se le ocurrió proponerme que visitáramos a un detective privado. Con tal de hacer algo, todas las ideas me parecían buenas. Le dije a Pascual que de acuerdo.

—Es el mejor detective que hay en la isla —me dijo Pascual conteniendo una leve sonrisa—. Y es el mejor que hay porque no tiene competencia, no hay otro detective en toda la isla.

—Visitemos a ese llanero solitario. Total no tengo nada más que hacer —dije.

Lo dije y noté que mi voz sonaba joven e inexperta. Sí. Al contrario de lo que me está sucediendo ahora —cuando en el silencio de la noche estoy escuchando mi voz y me digo que es una voz que habla desolada y desesperanzada, pero que es una voz de viejo, una voz que ha sobrevivido y sabe–, oírme a mí mismo me produjo la sensación de estar escuchando una voz joven e inexperta que algún día, en un futuro no muy lejano, yo cuestionaría.

La oficina del detective Sivori, que era el hijo menor de los dueños del hostal –cada vez la isla se parecía más a un pañuelo, a un pañuelo de cine, perfumado de ron y de mulatas–, parecía salida directamente de un decorado de Hollywood de los años cuarenta. Había en la entrada un gran cartel, donde podía leerse: Spade y Sivori. Encontré al detective bajo uno de esos ventiladores del trópico que giran en los techos no queriendo molestar a nadie, ni tan siquiera a esas moscas azules que duermen en sus tranquilas y bonachonas aspas. Tenía las piernas sobre el escritorio, leía un periódico atrasado de Port of Spain, fumaba un puro habano que estaba apagado. Cuando se puso de pie, vi que era bastante más alto que yo. Saludó con un golpe enérgico en un hombro a Pascual y le preguntó por su mujer y por sus hijos y por sus hermanos. Pascual farfulló algo acerca de sus hermanos, algo que no entendí. Tampoco debió de entenderlo Sivori, que poco después, dirigiéndose a mí, quiso saber, muy ceremonioso en su conducta, con quién tenía el honor de estar hablando y, sin dejarme tiempo para contestar, añadió que no era preciso que se lo dijera y volvió a ser ceremonioso y me dio el pésame.

–No sé si me entenderá así a bote pronto –le dije–. Yo estoy aquí buscando su ayuda en mi intento de que no hereden nunca los asesinos.

En realidad, debería haberle dicho: Estoy aquí porque me aburro y porque necesito hacer tiempo antes de ir al Instituto Forense y, sobre todo, antes de volver a ver a esa maravillosa mulata que me ha citado a las ocho para preparar las pompas fúnebres de mi hermano más querido.

–También yo creo –me dijo Sivori buscando por todos los bolsillos de su ancha camisa blanca un mechero– que a su hermano lo han matado. Y hay bastante gente en la isla que piensa lo mismo. La noticia de su muerte ha corrido como la pólvora, amigo. Nadie se cree lo del suicidio, por mucho que él no parara de hacer el tonto y anunciar que iba a matarse, pero aquí todos sabíamos que no lo haría. Lo han matado, casi seguro que lo han matado. Pero voy a decirle algo importante. No va a ser fácil para Spade y Sivori encontrar las pruebas de que lo han matado. Es más, investigar el caso equivale a jugarse la vida. Nosotros estamos acostumbrados a resolver casos más sencillos y, sobre todo, menos peligrosos. Espionaje comercial, sabotajes entre compañías de bailongos, trifulcas entre turistas, adulterios. Casos sencillos, de esos que a uno no le cuestan la vida.

—Mi idea es pagarles francamente muy bien. No sé si me entenderá lo que voy a decirle. Esa herencia bien vale una misa.

—Le entiendo. El que no sé si me va a entender ahora es usted. Porque voy a pedirle, amigo, que no me hable más en plural. Me cae usted bien. Por eso creo que ya es hora de que sepa que Spade no existe, que yo no tengo socio alguno pero sí bastante humor. Pensé que llamarse Spade y Sivori le daría mayor rango y seriedad a esta agencia. Porque el cliente siempre piensa: Donde no pueda llegar uno, llegará el otro.

—Está bien. Pienso pagarle muy bien a usted. Todo para usted. Y si quiere le digo ahora cuál sería a mi modo de ver el primer paso que debería dar en la investigación...

—Como si lo viera, amigo. Hablar con el forense y decirle que a su hermano tuvieron que darle un fuerte golpe en la cabeza antes de encerrarlo en el Alfa Romeo y precipitarlo al fondo de esa barranca. Como si lo viera. Decirle eso y pedirle que, por tanto, preste mucha atención a ese detalle, a esa huella criminal, cuando haga la autopsia.

—Pues no. No era eso precisamente lo que iba a sugerirle, porque con el forense voy a hablar yo dentro de muy poco.

—Le voy a advertir algo. Ese forense nunca pondrá la menor atención en esa autopsia.

Dijo eso y pasó a encender su cigarro con un mechero que era un halcón maltés en miniatura. Vi que no había modo de escaparse de aquella maldita película.

—¿Y por qué no va a poner atención el forense? —pregunté.

—Porque es el padre adoptivo de Marilú, quiero decir de Rosita. Como comprenderá, no va a ser el padre de esa furcia quien nos diga que mataron a su hermano antes de arrojarlo, en criminal descenso, por la barranca.

Me molestó bastante que la tratara de furcia. Podía hacerlo yo cuando pensaba en ella, pero no un extraño. A fin de cuentas había sido la esposa de mi hermano.

—Prométele al señor —intervino Pascual— que agarrarás a los hijos de puta que mataron a su hermano y que me avisarás a mí para que les dé una buena madriza.

Iba a preguntar qué significaba madriza, cuando Sivori renunció al caso. Dijo que no estaba dispuesto a jugarse la vida. Alegó que el suyo era el negocio de un solo hombre y que si a él lo mataban tenían que cerrar la agencia. Me mostró la foto de su esposa y de su hija recién nacida. Me rogó que le excusara tanta cobardía y sentido común y me pidió que me olvidara de todo aquel gran embrollo que era la muerte de mi pobre hermano.

—Se lo digo completamente en serio —me dijo—. Le puede costar la vida.

Tenía de nuevo su cigarro habano apagado cuando Pascual y yo, confundidos y algo perplejos pero curados del fantasma del aburrimiento, dejamos atrás aquella polvorienta oficina de película de serie negra, aquella triste oficina dirigida por un hombre solo muy cobarde.

—Nunca lo hubiera dicho, nunca pensé que el hijo de los Sivori fuera tan rajadito, menuda madriza le hubiera dado —se lamentó Pascual cuando ya nos acercábamos al Instituto Forense de Beranda.

—El médico ya se fue, le manda sus saludos —me dijo la mulata de traje y gorro blanco de la recepción.

El médico forense se había dado una prisa insólita a la hora de practicar la autopsia. Ya la había realizado y, tras haber dejado dicho que no había motivo alguno para pensar en un homicidio, había desaparecido a toda velocidad de aquel sórdido lugar. Empecé a verme como un zombie, como alguien salido de una película muy antigua y secundaria, un zombie que fue avanzando como pudo por el pasillo casi infinito de aquel sórdido lugar hasta que se encontró, tal como suponía, con la visión desagradable. Para abrir los cajones era preciso apretar y girar un asa a presión. Saltó un mecanismo metálico tras soltarse un muelle, y entonces lentamente fueron apareciendo los pies, aquella cremallera atroz en el vientre, el tronco, y finalmente la cabeza degollada del pobre Máximo, que me sonreía desquiciado desde la orilla oscura de su nuevo mundo.

Amanece. Pero el silencio sigue siendo el mismo, y es como si el aire viajara tranquilo en la nada. A veces imagino que me voy. Otras veces imagino que me veo. Ahora, cuando comienzan a despuntar estas primeras luces del alba, imagino que me veo. Estoy sentado en pijama, con los hombros cubiertos por un chal, el cigarrillo entre los dedos, rodeado de mis libros y con mi sombra de viejo volcada sobre el cuaderno de los tucanes, viendo nacer este nuevo lunes, entregado yo a este rito perseverante y solitario de escribir, de escribir, por ejemplo, que estoy mirando a las nubes y observando sus movimientos, que tan tenebrosos me parecen, pues es como si mi pasado se estampara en trenzas de sangre que vinieran de Veracruz mientras todo mi futuro (no tengo) cayera como una pobre llovizna en el arroyo en el que navega esa lágrima que ha sido mi vida, de la que con las primeras luces del alba me llega ahora de golpe, en este mismo instante, el recuerdo de una vela silenciosa y blanca, fugazmente entrevista en Beranda, la vela de una goleta navegando solitaria por las aguas del Caribe. Yo mismo en otros días.

Me pareció ofensivo que un crespón de luto colgara encima del timbre de la puerta de la casa de la vía Jají. Era como si, además de ordenar el crimen, quisiera Rosita encima burlarse de Máximo y de mi gran dolor.

Pero, sólo dos horas después, mis suspicacias habían pasado a mejor vida y el crespón estaba ya del todo olvidado. Aquel sucedáneo de marihuana —una rara hierba berandeña— que Rosita y yo fumábamos me había dejado un tanto trastornado.

Pensaba en Máximo de todos modos, no lo olvidaba. Pensaba en él, en mi querido y pálido pintor de tumba etrusca. Pensaba en Máximo y en que muy probablemente estaba yo fumando hierba con su asesina. No perdía de vista eso. Pero a medida que fumaba y bebía pequeños sorbos de ron de la isla, me iba pareciendo que carecían de fundamento mis sospechas. Me decía a mí mismo cosas de este estilo: ¿Por que diablos, a fin de cuentas, la asesina alberga en su casa a la única persona de toda Beranda que podría descubrirla? No tenía mucho sentido que ella estuviera arriesgándose a que cualquier desliz suyo la desenmascarara. Me estaba diciendo todas estas cosas cuando le oí a ella susurrar estas palabras:

—No puedo más de calor.

Dijo eso y se quitó la larga camisa roja que llevaba y se quedó en traje de baño, dejando ver su liso y terso vientre perfecto, tan distinto —me fue imposible no pensar en ello— del que la autopsia le había dejado, cruzado por una atroz cremallera, al pobre Máximo.

Estábamos sentados el uno frente al otro, yo viéndolo todo ya como un sueño, detectando con la mayor precisión del mundo el diabólico magnetismo, el poderoso embrujo carnal de ella. Dominado de pronto por un bobo impulso repentino, empecé a acariciarle las mejillas y a decirle que pusiera en marcha el ventilador del techo. Empecé a pasarle los dedos por encima de las cejas y bajo los ojos y por detrás de las orejas. Me sentía drogado y contento, con una alegría fúnebre, tan rara como silenciosa, una alegría triste, sin música, aunque pronto ella se encargó de que la hubiera al susurrarme al oído, con una seriedad que tumbaba, el bolero de la viajera que iba por cielo y por mar dejando en los corazones latir de pasión, vibrar de canción, y luego mil decepciones.

Yo estaba escuchando la canción y enfrascado en pasarle los dedos bajo los ojos y por detrás de las orejas cuando Rosita, dejándose de tanto ritual y sutileza, desabrochó de golpe mi bragueta y empuñando impetuosamente mi sexo me dijo, con voz obscena y cantarina y con esa sonrisa triste que tanto me recordaba a la pobre Carmen, unas palabras más bien enigmáticas, tal vez simplemente juguetonas, en cualquier caso con sabor a música de bolero. No entendí qué me decía, me quedé por un momento pensando si se referían a Máximo o a mi cara de sorpresa ante su inesperado asalto. Lo pensé sólo un momento porque luego me olvidé de todo cuando me sentí en la gloria y ya tan sólo me decía que la única alegría verdadera es la que nos da el amor.

—Tienes que ayudarme —me dijo Rosita a la mañana siguiente, yo algo aturdido todavía después de la embriaguez de aquella noche de sexo duro y sin límites.

Entonces supe que ella no lo tenía nada fácil para heredar, que un notario de Beranda había enviado a la policía y a la prensa, por orden póstuma del pobre Máximo, el testamento que él había realizado a última hora en favor del Hospital de San Carlos que atendían las Hijas de la Caridad de San Vicente de Paúl. Las mismas monjas, por lo que pudiera pasar, se habían apresurado a escampar la noticia por todo Puerto Bajío.

—¿Y desde cuándo sabes eso? —pregunté.

—Lo sé, no importa desde cuándo —respondió algo seca.

Me di cuenta de que ella ya lo sabía cuando la vi en comisaría. Eso tal vez explicaba que hubiera estado amable conmigo y que me hubiera citado por la noche en su casa.

—¿Y en qué piensas que puedo ayudarte? —pregunté.

—En decir la verdad.

—¿Y qué verdad es ésa?

—Una que tú y yo conocemos muy bien. Que a veces Máximo tenía desequilibrios mentales.

Me dijo eso mirándome fijamente con sus excesivos ojos negros. Yo tenía lo que se llama un achaque de amor, porque estuve a punto de decirle que iba a prestarle ayuda. En realidad, deseaba prestársela, lo deseaba tanto como que ella no tuviera nada que ver con la muerte de Máximo. Por eso le pregunté:

—Tú no ordenaste su muerte, ¿verdad?

Sólo estaba esperando que me dijera que no.

Tan seria como repentinamente caprichosa, comenzó a morderme por todo el cuerpo, incluido de la forma más voluptuosa y perversa mi pobre muñón. Por el balcón abierto se alcanzaba a ver el cielo azul profundo de aquella mañana y de aquel momento que no olvidaré mientras viva. Porque fue increíble, y todavía hoy me asombro cuando recuerdo con admiración la sangre fría de aquella inteligencia suya tan distinta de todas y con tanto gusto por el riesgo. Porque para actuar del modo en que lo hizo tenía que estar muy segura de sí misma y muy segura también de que me había atrapado en la red de un salto mortal de amor y sexo.

—Fui yo, fui yo —dijo sollozando—. Yo le maté.

Dijo eso para muy poco después desmentirlo. Pero ya estaba dicho.

—Por el placer de haberlo dicho —aclaró.

He salido de la película para entrar en un sueño cuando cabeceando y viendo la dolorosa luz de las grandes bombillas de la fábrica que imaginaba mi insomnio, he terminado desplomándome lentamente sobre el cuaderno de los tucanes, me he quedado dormido más de una hora con el chal sobre los hombros, y he soñado que Pascual se parecía a como habría sido Máximo de haber llegado a viejo, de no haberse enredado con la maldita Rosita, lo he visto como un hombre de ojos maliciosos de halcón y una boca perentoria que terminaba en dos pliegues que le daban un aire de mofa, lo he visto como un hombre que vivía en una casa como ésta pero en el campo y mucho más grande y con un emparrado de buganvillas en la entrada, un hombre que vivía con sus dos hermanos; el mayor de ellos era campesino y se inventaba, como mi hermano Antonio, viajes a puntos muy lejanos de la tierra mientras que el otro hermano era la calamidad misma, pues también había sido campesino pero ahora vivía lejos de la luz y en el lugar más oscuro e interior de la casa, porque tenía una rara enfermedad que le venía de su frustración por haberse pasado años y años acariciando en vano la idea de vivir en otro sitio, en un lugar luminoso, un sitio que había repetidas veces visto en sueños y que era una casa sin buganvillas, sobriamente decorada y frente al mar, un lugar aparte y solitario pero lleno de libros, un lugar con la puerta abierta como en verano lo están, y no quiero ser excepción a la regla, todas las puertas de las casas de este pueblo.

Con la puerta bien abierta y no encontrando ni timbre y ya no digamos crespón ni otro obstáculo más que salvar, ha entrado bien decidido en mi casa el hombre de Felanitx, mi vecino el dentista, y se ha encontrado con el espectáculo corriente de un hombre en pijama, y el no tan corriente de un hombre con un chal en los hombros escribiendo dormido, desplomado sobre un cuaderno.

Me ha despertado su voz de trueno preguntándome si estaba descansando y arruinándome de golpe toda la poética del sueño, pues era feliz en ese momento viendo, desde la casa soñada por ese hermano de Pascual que era tan calamidad como yo, todo tipo de árboles secundarios, pero también los seculares del Caribe y, además, amables terrazas de yeso y madera y muchos tapetes de lino que crujían, en desmoronadas colinas que cruzaban, despiadada pero a veces tan sólo furtivamente, el viento y las iguanas.

—Dormido entre iguanas y lagartos —he acertado a decir, todavía dentro del sueño.

Me ha mirado con extrañeza, pero no por mi respuesta sino porque, como he podido saber poco después, la primera impresión al irrumpir en mi casa y verme en pijama ha sido la de que me había quedado dormido poco después de despertarme.

He pensado que en muchas de las miradas de los demás, en esas miradas enloquecidas y tan extrañas que nos dirigen a veces, está la verdadera rareza, mucho más allá de la nuestra, tan modesta.

Reforzado por esta idea casual, le he dicho a mi querido vecino el dentista, con la mayor serenidad del mundo, que no estaría de más que supiera que había yo pasado toda la noche en vela ordenando mi vida y que hasta hacía muy poco no me había vencido el sueño. Se ha disculpado por haberme despertado y ha pasado a maldecir su conducta de ayer tarde.

—En realidad —me ha explicado—, había venido sólo para eso, para excusarme por haber perdido casi la conciencia bebiendo como un cosaco o, mejor dicho —ha sonreído encantado—, como un mexicano. No me gustaría que en modo alguno pensara...

Le he tranquilizado diciendo que no había por qué preocuparse de nada y le he ofrecido un café que no ha rechazado aunque antes, y lo ha repetido varias veces, ha querido dejar claro que había ya desayunado, y que además lo había hecho copiosamente. Me he puesto en pie, somnoliento, viendo las últimas iguanas en las terrazas de las colinas de mi sueño, y me he dirigido a la cocina, donde he tenido una revelación que me ha llegado en forma de alucinación cuando, al disponerme a calentar el agua del café, he notado que me dolía levemente una muela empastada en África. Me he dado cuenta entonces de con quién realmente estaba, es decir, quién era la persona que había entrado en mi casa y me había fastidiado el sueño. Aferrado a los brazos de un sillón imaginario he sentido un frío contacto metálico en mi mejilla al tiempo que veía las estrellas y entre dolores terribles empezaba a patear y a gritar como una bestia herida en la cueva de un dentista. Por un momento ha sido incluso como si me hubieran arrancado la muela y al mismo tiempo me hubieran arrancado de cuajo y hundido el cráneo. Por suerte, mi lucha contra el dentista no ha durado demasiado: el tiempo de una alucinación en forma de aviso o de advertencia. Cuando me he repuesto del susto, que ha sido bien grande, he seguido preparando el café. Me he dicho que ya dormiría por la tarde, a la hora de la siesta —estoy en esa hora y sigo igual, sin pegar ojo—, me he dicho que la alucinación tenía que servirme de toque de atención para no olvidar nunca qué clase de visitante era el que había entrado en mi casa. Era un buen hombre mi vecino. Sí. Pero no debía confiarme y olvidar que arrancaba muelas en Felanitx y que eso, a fin de cuentas, era pura y simplemente una salvajada.

Cuando todo ha pasado, he regresado con un café humeante y una bandeja con un amplio surtido de quesos franceses, y he notado la cara de gran satisfacción del dentista.

—Sí, señor. Me gusta, me encanta el café, lo ha adivinado —me ha dicho mientras me dedicaba una tierna sonrisa, una sonrisa muy sincera por debajo de su nariz aguileña y su bigote zapatista.

Hemos hablado un buen rato de las virtudes y defectos del café. Después, hemos hecho otro tanto con las del queso. Le he preguntado qué diría su mujer cuando se enterara de que había desayunado dos veces. Ha sonreído beatíficamente, y yo con él. Ha vuelto a pedir disculpas por haberme interrumpido el sueño, también disculpas por su borrachera de ayer. No quería que me formara yo una mala opinión de él. Me ha dicho que no esperaba encontrarse con una casa tan llena de libros. Ha vuelto al tema de las virtudes y defectos del queso (centrándose en la producción francesa, sobre la que es un consumado especialista), sin duda para sentir sus manos de dentista más libres a la hora de vaciarme, ya del todo y sin el menor escrúpulo, la bandeja, mi bandeja, esa bandeja cuyo moderno diseño me parece a mí que se esfuerza en imitar a una muela. De vez en cuando me sonreía, como excusándose por su insaciable hambre, aunque siempre manteniendo un cierto aire de inocencia y de gran beatitud. De pronto, se ha entrometido peligrosamente en mis asuntos.

—Ya lo comprendo —me ha dicho adoptando un afectado gesto reflexivo—. Usted es escritor. Como su hermano mayor. ¿Verdad que no me equivoco?

—No, señor, no soy escritor —le he contestado, reaccionando de inmediato.

—¿Y los papeles escritos que le he visto? Los papeles sobre los que se ha quedado dormido.

—Me dedico a contarme a mí mismo mi vida. Eso es todo.

—¿Y eso no es ser escritor?

—No quiero ser escritor, sino escribir, que es algo muy distinto. No sé si capta usted la sutil diferencia.

—No, yo no capto nada. ¿Cómo voy a hacerlo si soy imbécil? ¿Es eso lo que trata de decirme? Pero permítame ahora una pregunta. ¿Puede saberse por qué la vida se la cuenta usted sólo a sí mismo?

—Pero es que no sé si me entenderá. Yo tengo unas ideas muy especiales.

—Ya estamos otra vez. Claro que puedo entenderlo. Dígame lo que tenga que decirme y no se preocupe más por lo que pueda yo entender.

—Pues que a mí me parece que la vida en sí no existe.

—¿Y qué existe, pues?

—Quiero decir con esto que la propia vida no existe por sí

misma, pues si no se cuenta, esa vida es apenas algo que transcurre, pero nada más. ¿Me sigue?

—Le sigo.

—Yo pienso que para apresar y comprender la vida hay que contarla, aun cuando sólo sea a la almohada o a uno mismo.

—No sé si le entiendo del todo. Usted quiere decir que...

—Mire, por mucho que usted piense que soy joven, que sólo tengo veintisiete años y tal y cual, lo cierto es que estoy acabado, soy un hombre acabado después de haber vivido una vida de novela. Mi vida la doy por terminada. Ahora prefiero contármela. Con sus capítulos correspondientes, incluidas las conversaciones que tengo con usted.

—¿No estará diciendo que yo soy un capítulo?

—¿Y quién le dice eso? No, amigo. No llega usted a tanto.

—Ya veo. No llego nunca a nada, no entiendo nada, no soy nada, me ha visto beber tequila y caer borracho enseguida y piensa que soy un pobre cretino de Felanitx. ¿No es eso?

—Me estoy limitando a decirle que, justo en el momento en que perdí la ilusión de vivir, me llegó de forma providencial la ilusión de escribir, de contarme la desgraciada vida que, por culpa de mi estúpido afán viajero, me ha tocado vivir. ¿Está más claro ahora todo?

—Lo está. Me parece que por fin te entiendo —me ha dicho tuteándome de pronto—. Sí. Por fin te entiendo. O, mejor dicho, no te entiendo nada, hijo. Yo lo que veo es que escribes y me dices que no lo haces. ¿O es que sólo eres alguien que escribe y se duerme sobre lo que escribe?

—¿Por qué no volvemos a hablar de los quesos franceses? Ahí al menos no tendremos problemas.

Se ha quedado callado sonriéndome. He estado tentado de repetirle que no soportaba *ser* escritor y que sólo me interesaba escribir. Y también a punto de decirle que por eso me dedicaba simplemente a prolongar en secreto la obra de otro, la obra de un muerto, la obra de mi celebrado hermano Antonio. Pero he pensado que no era necesario complicarle más las cosas al vecino, de modo que he optado por hundir peligrosamente mi mirada en la lejanía, buscando algún pequeño detalle que pudiera yo percibir en la isla de Cabrera y que me permitiera salir airoso de la situación que me tenía atrapado. Mirando al horizonte he tratado de que entendiera que me estaba ya incordiando su presencia, que las visitas no tienen por qué prolongarse tanto y que cuanto antes se marchara mejor sería para todos. He bostezado a conciencia, le he dicho que tenía prisa por reanudar el trabajo de contarme mi vida.

Siempre hay algo ofensivo cuando invitas a alguien a abandonar tu casa. Mi vecino no ha sido una excepción a este extendido sentimiento y ha reaccionado con cierto enfado.

—Pero, que yo sepa —me ha dicho—, no sólo a ti mismo cuentas tu vida. Ayer, sin ir más lejos, me la contaste a mí. ¿O es que crees que lo he olvidado? Toda esa historia del Caribe y de Rosita. Toda esa historia que me parece que es inventada.

Me ha indignado tanto que pensara que era inventada —no lo pensaba, era un truco para quedarse más rato en casa— que he caído en su trampa y cuando me ha preguntado qué le veía yo al Caribe de especial he comenzado a hablar casi como en un monólogo.

—Las mujeres allí —le he dicho— se ríen solas entre los abutilones. Hay felicidad. ¿Sabes qué son los abutilones? Pues unas flores amarillas. En la base tienen unos puntos negros, que dicen que sirven para curar las diarreas de los animales con cuernos. Y el sexo en el Caribe huele muy bien, como en ninguna otra parte. Y el sudor se abre allí siempre un camino fresco. Y está el ron. Y el olor inconfundible de las mulatas, un olor que a más de uno le vuelve loco.

—¿Y Rosita? ¿Qué viste en ella? ¿De verdad que existe?

He meditado mucho la respuesta.

—Era una mujer —le he dicho finalmente— que pensaba como una mujer, hablaba como una mujer, se comportaba como una mujer. Con eso creo haberlo dicho todo. Y era la única que no se reía entre los abutilones. Era tremendamente seria. Y era una asesina. Había matado a mi hermano. Y a pesar de eso, a pesar de que yo veía que había matado a Máximo, no podía evitar sentirme enfermo por ella, encoñado, sin salida. Surgió de mi interior lo peor que hay en nosotros. Apareció en mí ese miserable que muchas veces ignoramos que forma parte de nuestro ser. Descubrí que carecía de toda dignidad y moral, que era una rata, que era un ser ruin y miserable, capaz de vender mi alma al diablo por el amor de una mulata. Ella tenía muchas deudas de juego y la habían amenazado de muerte, le habían prometido destrozarle la cara si no pagaba. Confiaba en la herencia de Máximo para salvar la vida. Cuando vio que debía esperar mucho para obtenerla, si es que algún día cobraba, me pidió prestado el dinero a mí. Para salvar la vida, me dijo. Y prometió que después de saldar todas las deudas huiríamos muy lejos de allí. Dicen que el enamoramiento es un estado de imbecilidad transitoria, pero en mi caso no puede hablarse sólo de estupidez sino también de traición a mi hermano más querido y de la aparición de la parte más miserable, más despreciable de mi ser. Me convertí, sin darme cuenta, en un pobre perro en celo y en el hazmerreír de toda la isla. Me llamaban Tenorito, como a Máximo. Ella, con mi dinero, saldó todas las deudas, salvó la vida. La mitad de la fortuna que había heredado de mi padre fue lo que me costó que ella salvara la piel. Cuando acudí al muelle nuevo de Puerto Bajío para embarcar en la goleta que debía llevarnos a Port of Spain como primera escala de un viaje que imaginaba yo de ensueño, me encontré con una nota que Rosita le había dejado para mí a un pobre detective llamado Sivori. En esa nota me decía que me quería mucho pero que, por razones de seguridad, había tenido que desaparecer y que ya se pondría en contacto conmigo. Una manera como otra cualquiera de decirme simplemente que me dejaba plantado. El tal Sivori, que había estado espiando mi reacción al leer la nota, me dijo entonces que tenía pruebas de que Rosita había ordenado la muerte de mi hermano. Me enseñó las pruebas. Y yo, que seguía idiota perdido y todavía confiaba en recuperarla a ella, creí necesario comprar el silencio del maldito Sivori. Me costó otra fortuna ese silencio. Humillado y medio arruinado, aquella misma tarde dejé la isla de Beranda para siempre cuando supe, fue lo último que me susurró un taxista amigo, que ella había volado por la mañana lejos, muy lejos de la isla en compañía de su novio, el chulo de Badajoz. El chulo gastaba panamá de color azafrán, zapatos blancos, bastón de ébano con puño de oro. Y se había hecho un traje nuevo.

A veces imagino que me voy. Otras no hace falta que lo imagine. Me voy, y punto. Es lo que ha sucedido esta mañana cuando me he dado cuenta de que no era conveniente que el vecino siguiera oyendo mis confidencias ni conociera más detalles acerca de cómo continuó mi historia con Rosita.

Cuando he comprendido esto, le he dicho que iba a vestirme. He cambiado el pijama por una camisa hawaiana y unos bermudas y he vuelto a salir a la terraza, donde él parecía estar esperándome expectante, con la pregunta en la punta de los labios.

—¿Qué fue de Rosita? ¿Has vuelto a verla?

Le he dicho que sí, pero que no era de su incumbencia. Ha enarcado una ceja. Le he dicho que tenía prisa, que de pronto había recordado que tenía una cita con el vendedor de hielo de la esquina. Se ha quedado mirándome con incredulidad. Me he despedido de él con una palmada en el hombro. Ha protestado, pero yo he seguido mi camino. Necesitaba andar después de pasar toda la noche sentado y con el maldito insomnio. Me he sentido libre andando por el Paseo del Mar, pero pronto ha vuelto el recuerdo de mi repugnante e infame paso por la isla de Beranda, que era de lo que en realidad huía. Atormentado, bajo un sol de plomo, he ido reduciendo el impulso inicial de mis pasos mientras me iba diciendo que siempre ayuda y conforta pensar que la humanidad es un nido de ratas del que uno se desentiende.

Eso ayuda, sí. Pero cuando esa rata, cuando el cerdo más vil del universo eres tú mismo, las cosas varían notablemente.

Es relajante —me he dicho reduciendo cada vez más el ritmo de mis pasos— aprender a ver a los hombres aun peores de lo que son. Eso a uno le despeja, le libera y le deja hasta tranquilo, más allá de lo imaginable. Eso te da otro yo, vales por dos. Las acciones de los hombres dejan, a partir de ese instante, de inspirarte ese asqueroso atractivo poético que te debilitaba y te hacía perder el tiempo, y entonces su comedia no te resulta más agradable ni más útil en absoluto para tu progreso íntimo que la del cochino más vil. Pero cuando ese cerdo eres tú mismo, el asunto pierde su gracia. Pero cuando ese cerdo es el mismo que se ha acostado con la asesina de su hermano, uno se ve a sí mismo como un perro al que deberían en Beranda haber arrojado al fondo de un barranco.

Es muy fácil decir que los otros son el infierno, pero cuando el infierno viaja contigo mismo, lo más prudente que puedes hacer es retirarte del mundo y dedicarte a escribir un dietario. Pero hasta escribir en mi caso es una manifestación obscena del más cochino cinismo. Porque después de todo, para qué voy a engañarme, yo he llegado a la escritura no por una tierna afición infantil o por algún que otro noble y desinteresado motivo, sino más bien obligado por las circunstancias, casi porque no me quedaba otro remedio. A la literatura —qué hermosa palabra en boca de otros— he llegado porque mientras escribo no hago daño a nadie y al menos no corro el riesgo de ensuciar aún más, con mi ruindad y egoísmo y mi fondo moral de rata, la ya de por sí ensuciada vida. Pero la verdad es que ni escribiendo hallo la pretendida paz de espíritu. No sé quién dijo que Dios no anda por ahí dando tumbos con unos prismáticos y espiándonos, sino que está en cada uno de nosotros. En mí, desde luego, no está. No tengo ni tendré ya nunca paz alguna de espíritu. A Dios le di un viaje de muerte en el muelle viejo de Veracruz. No hallaré nunca ya esa paz. No la hallé en la vida, no la encuentro en la escritura. Ignoro si existe algo más que no sean la vida o la literatura. La vida no interesa. No sé quién dijo que es para los criados. Y la literatura no es más que un consuelo —interesante sí, pero a fin de cuentas un consuelo— para quienes se sienten desligados de la vida y razonablemente desesperados. Merezco este infierno.

Salgo de la siesta, donde he visto en sueños un baile de barajas de todos los colores. Cada juego de cartas danzaba en suntuosas vitrinas de espléndidos fondos de raso, terciopelo y seda. A algunos naipes les brillaban los colores, se notaba que eran nuevos y acababan de irrumpir en el gran teatro del mundo, mientras que otros, en cambio, eran lo contrario y se les veía gastados, muy sobados, víctimas de infinitas noches de timba, desmayándose los rostros de las sotas, descoloridos los oros, rotos los mantos de los reyes.

Atardece. Pensamiento que he olvidado. Debe de ser de Pascal. Quisiera escribirlo. Escribo, en cambio, que lo he olvidado.

Modesta fiesta mexicana en casa de la familia de Felanitx. Una fiesta entre ellos, sin invitados. Hay música de *tex-mex* en la terraza y Berta juega de nuevo con las caretas de jaguar. El padre, con gesto solemne, lee un periódico deportivo y de vez en cuando silba la estrofa de alguna ranchera. Vista desde lejos, la madre, que está bordando un mantel, parece cubierta por un rebozo negro. Yo permanezco prudentemente en el interior de mi casa, temiendo que vengan a buscarme y me inviten a ese teatro de mi nostalgia de Veracruz que ellos representan, sin saberlo, para mí.

Lo que era preferible esta mañana que no supiera el vecino, lo que antes que nada no debía saber —ya sabe demasiado y no conviene que siga coleccionando más rarezas y abyecciones mías—, es que a mi regreso de Beranda no sólo me degradé aún más moralmente al mentirle a Antonio y decirle que los males de amor habían conducido al suicidio a Máximo, sino que, perdido y sin saber qué hacer de mi vida y convertido en un iletrado profundo, me pasé a la cocaína y me aficioné como un loco a las timbas de póquer con jugadores profesionales, y cuando no estaba perdiendo dinero en esas partidas estaba perdiendo el tiempo en orgías desesperadas o bien me dedicaba a hacer complicados solitarios en la segunda planta del inmueble de Sant Gervasi, ese piso de propiedad que pronto iba a dejar de ser mío.

Mi vida cayó en el punto más bajo que le había conocido hasta entonces. Me pasaba horas y horas entre timbas y orgías o haciendo solitarios buscando en vano ahuyentar el recuerdo de Rosita: un recuerdo sensual que revoloteaba en mi memoria, que surgía entre la niebla de mis pensamientos más obscenos, ingrávido, funambulesco, torturador.

Hay algo muy peligroso en las cartas. Para empezar, en quien las tira. En las lectoras de tarot. Las cartas consultadas en una dirección siempre dan respuestas en esa dirección: amor, muerte, ausencias... Cometí el error de acudir a una gitana de la calle de Robador, a una echadora de cartas, y le pregunté por mi futuro amoroso.

—Me llamo Tenorio —le advertí—. ¿Cree que eso influye en mis historias, todas tan desgraciadas, de amor?

—Sí —me respondió sin dudarlo un solo instante.

Las cartas siempre dicen la verdad, hay algo muy peligroso

en ellas, siempre encierran algo terrible. El general De Gaulle, por ejemplo, que era un empedernido jugador, murió haciendo uno de los solitarios más difíciles.

La gitana me anunció el retorno de mi gran amor. Se lo hice repetir dos veces. Va a regresar una mujer que te vuelve loco, me dijo. Salí feliz de aquella visita, imaginando que Rosita volvía a mirarme con los ojos entornados hundiendo sus dedos entre mis cabellos e inventando remolinos con ellos. Y aquella misma noche soñé, por primera vez, con barajas de todos los colores, las mismas que han aparecido en mi sueño de hoy a la hora de la siesta. Juegos de cartas que danzaban sensualmente en suntuosas vitrinas. Fue todo un sueño premonitorio, porque no habían pasado aún dos semanas desde que lo tuviera cuando recibí carta de Rosita diciéndome que estaba en Europa. Creo que es la más ardiente carta de amor que un hombre haya recibido. Me pedía desde Montecarlo que me reuniera con ella, que volviera a su lado. Estaba en ciertos apuros y se había acordado de mí, del hombre más bueno de la tierra, del hombre que le había cambiado la vida y al que había tenido que abandonar en Beranda para evitar mezclarle en un feo asunto que habría podido hasta costarle la vida. Sólo por eso, sólo por protegerme, y sabiendo que volvería a reencontrarme, me había dejado plantado en Beranda.

Conservo esa carta y la leo a menudo. Es la carta más erótica que haya existido, pero también la más terrible si la miro con mis ojos de hoy en día. No hace mucho, en una reciente noche de rabia y dolor infinito, anoté en ella estos dos versos del mejor soneto de Shakespeare, el 129: «Lo sabe todo el mundo y nadie sabe modos / de huir de un cielo que a este infierno arroja a todos.»

Fui a Montecarlo como quien va al trópico, viajé a la Costa Azul como uno de esos blancos que se vuelven locos, totalmente chiflados, por el ron y las mulatas.

Viajé sin saber que aquella carta había originado el ensayo general de mi descenso a los infiernos. Si no hubiera sido un iletrado profundo habría viajado a Montecarlo con mayor prudencia, porque no me habría olvidado de que un apretado tejido de infortunios —no sé dónde he leído esto, ¡he leído tanto últimamente!, pero lo he leído, eso seguro— labra la historia de los hombres, desde la primera aurora, y si no desde la primera, desde el momento en que uno se cruza con una mujer fatal que le enamora.

Viajé a Montecarlo con la idea completamente ilusa de decirle a Rosita las mismas palabras que el zar de Rusia le había dicho a la Bella Otero: «Arruíname, pero no me abandones ya nunca más.»

En los dos intensos meses en que estuvimos juntos no tuve ni tiempo de decírselo. Pero eso sí, ella dispuso del tiempo necesario para arruinarme en todos los sentidos. A pesar del desastroso final me siguen pareciendo maravillosos esos dos meses, los más tristes y también los más fascinantes de mi vida, en los que nuestras relaciones se rigieron —me parece ridículo decirlo pero fue así— por un refrán. Sí, por un refrán. Estoy seguro. Cuando la fortuna nos sonreía en el juego, el amor se nos volvía esquivo. Y cuando renunciando a la fortuna y a nuestro delirio por el juego lográbamos nuevamente ser felices —porque lo fuimos, el carácter de Rosita era voluble y traicionero, pero quiero pensar que también alguna vez ella se sintió feliz y enamorada a mi lado—, el amor brillaba con toda la potencia y esplendor de los que es capaz. Lo malo fue que, de un modo deliberado o no, una noche en el Casino, buscando ser felices en el amor, terminamos por arruinarnos del todo. Del todo. Sobre todo yo, que perdí en las cartas y la ruleta lo que me quedaba de la herencia de mi padre.

Entonces todo cambió. Hasta el refrán que regía nuestras relaciones cambió bruscamente. De pronto me convertí en una persona desafortunada en el juego pero también en el amor. Rosita, que se sentía horrorizada de ver que a mí ya sólo me quedaba el dinero para mi billete de vuelta a Barcelona, comenzó a esquivarme cada vez con mayor frecuencia y con mayor saña que la fortuna misma. Y sus ausencias a la hora de dormir en el Hotel de France se fueron haciendo tan seguidas que al final llegó una semana en que no la vi ni una sola vez. Drogado y borracho se me podía ver por las calles de Montecarlo, ya casi sin un solo franco en el bolsillo y con la entrada en el Casino prohibida a causa de un escándalo. Daba pena mi figura de perro apaleado. Alguien que también daba esa pena se me acercó una noche creyendo que yo tenía algo más de dinero que él y me propuso que le comprara un plan infalible que él había descubierto para ganar siempre.

Entre arruinados andaba el juego.

—Ya sé que es una intromisión, joven caballero —me dijo aquel hombre de pelo canoso, ya entrado en años—. También sé que ha perdido últimamente mucho en la ruleta. Pero yo he de decirle una cosa. Tengo dentro de mi cabeza un sistema perfecto para ganar. Se lo vendo por unos miserables veinte mil francos.

—Me pide lo que no tengo. Es más, ya no tengo nada.

—Pero usted continúa viviendo en el Hotel de France con esa bellísima señorita.

—Ella ha desaparecido, amigo.

—Dos mil francos —dijo rebajando mucho el precio.

—Qué más quisiera que tenerlos. ¿No ve que mañana mismo voy a verme obligado a dejar mi hotel por la noche descolgándome con una cuerda? Mañana mismo tendré que pedir ayuda al consulado.

Nos habíamos puesto a andar, estábamos por los alrededores del puerto.

—Se trata de algo muy sencillo, jovencito —me explicó él—. Lo aprendí en una novela de Graham Greene.

—¿De quién? Perdone, pero no sé nada de libros y de todo eso.

—De Greene. ¿No ha ido a la universidad? Se diría que sí.

—¿Qué tiene que ver ese Greene con la universidad? No, no he ido a la universidad. ¿Pasa algo?

—Es tan sencillo mi sistema —prosiguió él con su español de marcado acento inglés— como lo son todos los grandes descubrimientos matemáticos. Primero se apuesta a un número y, después, cuando el número sale... Oh, por lo menos invíteme a un whisky —me dijo señalando a un animado bar instalado en la cubierta de un viejo transatlántico—, es lo menos que puede hacer a cambio de mi información.

—Está bien —dije con aire resignado—. Total, ya no puedo comprarme ni mi billete de vuelta...

—Primero se apuesta a un número —me dijo cuando estábamos ya en la barra del bar— y cuando ese número sale se colocan todas las ganancias en la correcta transversal de seis números. La correcta transversal del uno va del 31 al 36, la del dos, del 13 al 18, la del tres...

Fue en ese momento cuando vi a Rosita en el otro extremo de cubierta. Allí estaba, reclinada en la borda, sonriendo a un hombre en quien de inmediato reconocí al chulo de Badajoz. Aunque iba sin su sombrero panamá y estaba algo lejos de donde yo estaba, no cabía duda. Era él y Rosita le miraba lánguidamente. Y yo experimenté tan vivo impulso de celos y de cólera que me sentí palidecer.

Lo que después sucedió fue algo muy sencillo. Me aproximé a la pareja y le pedí explicaciones a Rosita y de viva voz la acusé de haber matado a mi hermano y de haberme arruinado.

—¿Y qué más? —dijo ella sonriendo.

Iba a responderle cuando el chulo de Badajoz me acusó de estar borracho, y de un empujón intentó arrojarme por la borda. Forcejeamos como meses antes lo habíamos hecho en el cabaret Chole. Hubo un segundo intento de arrojarme por la borda, pero tampoco esta vez lo logró, aunque para mí fue horrible —creo que habría preferido mil veces el incómodo y humillante chapuzón—, pues caí al duro suelo de cubierta con tan mala estrella —un manco nunca debería creer que puede pelear en igualdad de condiciones— que me quedó astillado en mil fragmentos el hueso del hombro derecho. Al día siguiente salí de una anestesia y desperté en un miserable cuartucho de un hospital de Niza, y dos días después el consulado, obrando como si quisiera completar la faena del chulo, me dio una soberbia patada en el culo y me devolvió a la realidad de la que había intentado, por el amor de una mulata, escapar: España.

Más destrozado y más perro apaleado que nunca –y, además, ahora arruinado por completo y a merced de la caridad ajena o, por decirlo más exactamente, de la caridad de mi hermano Antonio, en quien ahora no tenía más remedio que confiar–, regresé a Barcelona, aunque más justo sería decir que me regresaron.

Volví esta vez desprovisto de lo más elemental: sin mis dos brazos. Uno estaba escayolado y el otro hacía tiempo que estaba amputado. Sin brazos. Sin dinero alguno. Así me dejaron, una tarde, frente a mi hermano Antonio, que en el ínterin se había convertido en un escritor de viajes muy leído, y eso sin haber apenas salido nunca de su casa. Era asombroso el éxito de su último libro: *El viaje a Ítaca*.

Recuerdo como si fuera ahora cómo me miraba Antonio, que parecía no dar crédito a lo que veía. «Eres un verdadero animal», dijo de repente. No le contesté. Me ofreció un puro veracruzano y, al darse cuenta de que no lo podía yo coger con las manos, tuvo la, digamos, bondad, aunque su gesto fue muy violento, de introducírmelo en la boca, como si quisiera –por suerte no lo consiguió– que me lo tragara de golpe.

Sí. Lo recuerdo todo como si fuera ahora. «Eres un animal», repitió, para muy poco después añadir: «¿Y ahora qué vas a hacer?» Le dije que me alistaría en la Legión, que no pensaba renunciar a los viajes y a la aventura, que les preguntaría a los veteranos qué se sentía en realidad cuando se oyen silbar las balas.

–Se nota –me dijo entonces– que, por no leer, no has leído ni siquiera *Juegos africanos* de Jünger. En ese libro un joven le pregunta a un veterano lo mismo que tú pretendes preguntarle a un legionario. La respuesta del veterano es nítida: «Nada de particular. Suenan mejor las balas cuando se lee en viejos libros. Nunca he oído silbar una bala.»

—No estoy para leer libros —le contesté—. Ni siquiera puedo cogerlos con mis manos.

—Si no puedes cogerlos con las manos es porque la supuesta escuela de la vida te ha convertido no sólo en un necio y un inválido, sino también en un perfecto zafiofelón analfabeto.

Zafiofelón. Nunca había oído esa palabra. Luego me confesó que se la había inventado sobre la marcha gracias a la gran cantidad de libros que había devorado y en los que había descubierto la libertad de poder inventarse uno las palabras que le vengan en gana.

Quedaba el otro insulto. Analfabeto. No sabía yo dónde mirar. Por una cuestión ya de pura costumbre, dirigí la mirada al reloj de pared que nuestra madre había comprado a un anticuario de Berga. Y leí, una vez más, la leyenda inscrita por artesano anónimo en el reloj: «Quien demasiado me mira pierde su tiempo.» Y de pronto, como si todo fuera una pesadilla circular, volvieron a dar las seis en punto de la tarde. Y entonces sonreí levemente mientras —andar sin la protección de los brazos lo exigía— daba con extrema prudencia un par de pasos hacia adelante, hacia donde se había desplazado mi hermano mirándome consternado y ahora con rabia más que contenida, apoyado en la misma repisa de la misma chimenea desde la que un día, el muy cabrón, me habló por primera vez de Rosita.

Lo recuerdo todo con mucha precisión, como si estuviera sucediendo ahora. Yo pensaba: «Alguien se divierte a base de bien jodiéndome.» La frase retumbaba, como si fueran seis campanadas que sonaran al mismo tiempo, primero en mi cerebro y luego expandiéndose por todo mi pobre cuerpo, no sólo privado de sus extremidades superiores sino también privado de ilusión y a merced del prójimo y sin defensa propia ni dignidad alguna. Y todo por el amor de una mulata.

Tras los viajes, había sonado la hora del recogimiento. En un principio, esto lo viví como una verdadera tragedia. Y es que tullido y humillado y con esa ansiedad que sentimos cuando hemos perdido algo —la confianza, por ejemplo, en el amor y en el juego—, y con la sospecha de que mi vida había quedado destrozada para siempre, encima un día empecé de pronto a percibir con espanto y por múltiples indicios —como perciben el peligro los animales— la inminencia de una catástrofe todavía mayor, lo que terminó por convertirme en un joven repentinamente pusilánime y asustadizo, hundido en una dura melancolía y en la más grande de las depresiones.

Más que de recogimiento podía hablarse de encogimiento. Del ánimo, sobre todo. Además, por si eso fuera poco, aparte de sentirme hundido y temeroso de todo, me convertí en el ser más susceptible de la tierra.

—Esto no puede ser —me dijo Antonio, el día en que me quitaron la escayola.

—Te gustaba más verme sin brazos. ¿No es eso? —le dije más susceptible y deprimido que nunca.

Se llevó Antonio las manos a la cabeza, como diciendo qué depresión, qué desastre. Y empezó a dar vueltas frenéticas por el ático. Había tenido yo que trasladarme a esa modesta vivienda —ese piso en el que, medio camuflado, podré vivir mientras dure el litigio entre las monjas de Beranda y Rosita por la herencia del pobre Máximo—, pues la segunda y noble planta del inmueble de Sant Gervasi —lo único que se había salvado de mi dilapidada fortuna personal— la acababa mi hermano de alquilar para que tuviera yo esa renta mensual que al menos me permite sobrevivir o, lo que es lo mismo, subsistir buenamente, incluso veranear, aunque el dinero no me alcance más que —mejor así en el fondo— para lugares tan ocultos y horrendos como éste.

—Te digo solamente que esto no puede ser —dijo Antonio andando nervioso y casi tropezando con los cuadros y las paredes, y recuerdo que estaba yo tan en las nubes que pensaba que eran las reducidas dimensiones del ático lo que tanto le desquiciaba, sin caer en la cuenta de que si Antonio andaba tan fuera de sí era porque, como buen hermano que era, le amargaban las insondables dimensiones de mi profunda depresión.

—¿Qué es entonces lo que no puede ser? —pregunté con voz muy desvalida.

—No sé —dijo—, pero estás desconocido. A veces me recuerdas a Máximo con este tipo de preguntas. Hasta en la conducta me recuerdas a él.

—Claro. Te lo recuerdo porque estoy en su ático, en su antiguo taller, en su estudio. Por eso lo dices.

—No —gritó—. No lo digo por eso, sino por tu manera de comportarte y porque te veo muy deprimido, cada día más hecho polvo. No me gusta nada verte así, casi preferiría verte imbécil y aventurero como antes. Tenía la esperanza de que cuando te sacaran la escayola se elevaría algo tu ánimo.

—Ánimo —susurré con tristeza.

Nunca volveré a ver a Antonio tan enfurecido. La verdad es que mi hermano siempre tuvo mucho del prototipo del español medio, eternamente enfadado.

—Esto no puede ser —gritó muy fuera de sí—. Soy tu hermano. Quiero verte bien, no hecho una piltrafa. Con Máximo ya hubo bastante. Soy tu hermano. No te me vuelvas ahora como Máximo. ¿Me oyes? Estoy aquí tratando de levantar tu ánimo. Ya está bien de tonterías. Estás sin dinero, ha muerto Máximo... Todo ha sido muy duro. Lo reconozco. Pero hoy has recuperado un brazo y tienes toda la vida por delante... Haz el favor de no reírte al menos de la palabra ánimo... ¿Qué tienes contra ella?

—¿Contra ella?

—Sí. Contra esa palabra. Contra la palabra ánimo.

—Creo que nada. Ahora bien, contra el ánimo todo.

Creí que iba Antonio a seguir muy enfurecido, pero de pronto fue como si haber contemplado una de las esposas perfectas que pintaba Máximo le hubiera dejado sosegado. Dijo beatífico:

—¿Así que contra ella nada?

De tan calmado que estaba llegué a pensar si no era una trampa que me tendía.

—¿Así que contra ella nada? —repitió.

Pensé si no estaría preguntándome por Rosita.

—Contra ella nada —dije tragando saliva.

Se quedó pensativo. Volvió a mirar fugazmente uno de los cuadros de Máximo. Se serenó aún más.

—¿Te gustaría hacerte pasar por mí? —me preguntó de pronto.

Tardé algo en reaccionar.

—No te entiendo.

Elevó de nuevo el tono de su voz:

—Que si te gustaría hacerte pasar por Antonio Tenorio.

—Qué horror —respondí instintivamente.

—Te lo explicaré mejor —dijo sin inmutarse—. He quedado finalista de un premio. El concurso literario de una revista femenina. Me han elegido las lectoras. Podrías acudir a la final haciéndote pasar por mí.

—¿A una final femenina?

—No —dijo, y gritó más de la cuenta—. A la final de un premio literario. Se decide entre tres escritores. Los tres están allí presentes. En Teruel.

—¿Pero estás loco? ¿Tú sabes lo lejos que está Teruel?

—Más lejos está África o la India o todos esos malditos lugares a los que has viajado.

—Pero no es lo mismo. Además, ¿por qué he de hacerme pasar por ti?

—Estará lleno de mujeres. Y algunas habrán votado por ti.

—Querrás decir por ti, que sales muy favorecido en las fotos.

—Habrán votado por ti. Te presentas como Antonio Tenorio. Basta que te tiñas el pelo de blanco. Como siempre nos hemos parecido mucho, creerán que eres yo. Además, te juro que por Teruel nunca me han visto. Gastos pagados, mujeres de sobras. Y la posibilidad de que si salgo vencedor ganemos un premio de medio millón que sería íntegramente para ti. Medio millón. No te iría nada mal tenerlo. Dadas tus circunstancias, yo que tú agradecería el detalle que estoy teniendo contigo.

Lo del medio millón estaba haciéndome cambiar de opinión.

—Y si perdemos —dijo mi hermano— también te daré ese medio millón. Porque mi agente piensa aprovecharlo para montar un escándalo riéndose del jurado por no haber sabido ver que les había llegado un falso Antonio Tenorio a Teruel.

—La verdad es que ese medio millón lo necesito... Pero creo que te olvidas de un detalle. ¿Cómo quieres que me haga pasar por ti si soy manco?

—Lo tengo todo previsto. He hablado con un amigo médico. Te van a hacer una prótesis o, mejor dicho, un simulacro de prótesis, porque no hay tiempo para más. Encima de ella, te pondremos una capa fina de yeso, como si te hubieran escayolado. Llevarás un guante negro. Parecerá simplemente que te has roto un brazo. Si alguien te pregunta, dices que te dio una lipotimia en la ducha.

Creo que suelo entenderlo todo a excepción de lo más simple. Desde hace un rato estoy pensando que la India, al contrario de lo que suele creerse, es uno de los lugares más sencillos del mundo. Por eso seguramente no la entendí. Algo muy parecido me sucedió con la ciudad de Teruel, que, a primera vista, parece un lugar complicado, sobre todo si uno tiene todo el rato presente el laberinto carnicero en que se convirtió durante la Guerra Civil. Pero en realidad Teruel es también, como la India, un lugar de lo más sencillo, uno de los sitios menos complejos del mundo. Se trata de una tranquila capital de provincia en la que hay una catedral mudéjar, unas decenas de miles de corazones sencillos, y unos alrededores más bien agradables, aunque en ellos uno puede tropezarse con un yacimiento de fósiles que es conocido como el barranco de las calaveras.

Es Teruel una ciudad nada compleja, pero lo cierto es que, desde el momento mismo en que llegué a ella (atrás quedaban seis interminables horas de autocar de línea), empecé a no entender absolutamente nada. Quizás porque todo era precisamente demasiado sencillo. Buscando mi hotel del Paseo del Óvalo fui a parar a la plaza del Torico, donde sobre una potente y alta columna hay un toro de reducidísimas dimensiones. Ese Torico, que parece ser el centro de lo que fue una ciudad muy brava durante la Guerra Civil, es el toro más pequeño y, sobre todo, el más sencillo que he visto en mi vida, y tal vez por eso no acerté a entenderlo. Y cuando por fin encontré el hotel —el mismo en el que se celebraba la final del concurso literario— todo se volvió aún más oscuro e incomprensible para mí.

—Soy Antonio Tenorio —le dije al conserje, tras comprobar que nadie de la revista femenina estaba en recepción para darme la bienvenida.

—Su carnet —dijo muy serio.

Su expresión, sus modales, me recordaron en un primer momento al detective Sivori de Beranda, tal vez porque hay gente que se parece mucho entre ella por su indesmayable tendencia a actuar como si fueran actores secundarios.

—¿No hay ningún mensaje para mí? —pregunté.

—¿Cómo ha dicho que se llamaba?

—Antonio Tenorio.

Levantó una ceja, se quedó mirándome incrédulo, como pensando que le había dado un apellido inventado. Luego, se volvió con desidia hacia el casillero.

—No hay nada —dijo.

Iba a preguntarle si andaba cerca alguien de la revista femenina, pero me distrajo por completo verle examinar con mucha atención —tenía algo realmente de detective aficionado— mi pasaporte mexicano.

—Perdone el señor la intromisión —dijo—, pero veo que nació en Veracruz. Permítame que le felicite. Estuve el verano pasado en México. Gran país el suyo, señor.

—Gracias —dije.

—Su llave.

—Gracias —repetí.

Creí que había acabado aquel tormento cuando añadió con rara solemnidad, los ojos súbitamente desorbitados:

—Cancún.

Me dije si había oído bien.

—Cancún —repitió—. Qué maravilla, señor. ¿Veracruz es como Cancún?

Por las prisas —los premios femeninos nunca esperan— la prótesis era muy precaria, provisional. Su fragilidad extrema influía en mi estado de ánimo, que era más frágil que una brizna de hierba. Además, me había resultado del todo imposible acostumbrarme a aquella horrible prótesis. Y menos aún a hacerme a la idea de que mi brazo enyesado era doblemente ficticio. No he conocido nada tan incómodo como aquella fugaz prótesis que me tocó lucir en Teruel. Pero ante las palabras del conserje se me olvidó por momentos hasta la molestia de mi doble brazo falso, y me concentré en aquella primera prueba —totalmente fuera de programa— por la que tenía que pasar mi impostura.

Decidí responderle como suelo hacer con los taxistas impertinentes. Con una frase medio extravagante que le desconcertara lo suficiente como para cerrarle un buen rato la boca.

—Sí. Soy de Veracruz —le dije al intruso inesperado—. Pero llevo ya muchos años en España. Tantos que hasta me gusta.

No logré confundirle nada.

—¿Que hasta le gusta? —dijo.

Simulé perplejidad:

—¿Por qué habré dicho una cosa así?

—Tal vez porque hay más de un mexicano que odia a los españoles. Yo, la verdad, es que me ha parecido que lo decía por eso. Disculpe el señor si no es así...

—En todo caso —dije reaccionando a tiempo aunque enojado, pues era consciente de mi fracaso en la maniobra de despiste—, no fueron españoles los conquistadores, sino extremeños. Casi todos, además, eran de Badajoz. Odio a la gente de Badajoz. ¿No será usted de allí por casualidad?

—Soy de aquí —dijo señalando el mármol de recepción.

—Mi llave...

—Ya se la he dado, señor.

Era suave el día, suave el viento, era suave el sol y también mi pensamiento cuando entré en el cuarto de hotel de aquella ciudad tan sencilla. Pero en menos de dos minutos —el tiempo de deshacer mi maleta mientras farfullaba maldiciones contra mi prótesis tan poco llevadera— todo cambió de repente y me encontré muy cerca de las cimas mismas de la desesperación. Creía haberlas alcanzado a mi regreso de Montecarlo, pero por lo que se veía aún me faltaba un buen trecho para ello. Y es que me di cuenta enseguida de que en aquel cuarto, aparte de deshacer la maleta, no tenía nada que hacer. Y eso me trajo a la memoria lo horriblemente desgraciado que era. Porque aquel cuarto venía a ser en realidad una terrible metáfora —yo aún no conocía la palabra metáfora pero me faltaba muy poco para darme de bruces con ella— de todo aquello en lo que tristemente se había convertido mi vida: no tenía nada que hacer en ningún lugar del mundo, salvo transportar equipajes y deshacer maletas.

Me entró un sudor frío cuando, junto a un sentimiento de profunda soledad, me pareció percibir que, al igual que mi prótesis, mi alma era postiza y provisional y se fingía mía. Me

173

quedé un mal rato asomado a la ventana de la habitación, mirando un paisaje del que sobresalía un modesto pero antiguo y sólido puente romano.

Había comenzado a remitir el sudor frío cuando me pregunté: ¿Hasta cuándo las mismas cosas? Dormir, despertar, tener apetito, hartarse, sentir frío, tener calor... No podía estar más cansado de la vida. Y motivos no me faltaban. Alguien, desde un lugar oscuro y remoto, parecía estar haciendo lo imposible para amargármela. Había que reconocer que me había ido todo muy mal en ella. Tan mal (pensé) que he terminado deshaciendo una maleta en un cuarto de hotel de una ciudad perdida. ¿Y si para colmo no había ningún concurso literario y mi hermano me había gastado una broma terapéutica sólo para sacarme de mi sopor y tristeza? Empecé a sentir lo absurdo de mi presencia en aquel cuarto, y también lo absurdo de mi presencia en el mundo. Me sentía cada día más envejecido, y no era precisamente porque llevara el pelo teñido de blanco o estuviera haciéndome pasar por Antonio. Cada día que pasaba, y hacía ya de eso bastante tiempo, me sentía más viejo y asqueado. Experimenté de pronto, en aquel cuarto de Teruel, la máxima pesadez de lo real. Comencé entonces a viajar alrededor del cuarto. De vez en cuando regresaba a la ventana para ver de nuevo el puente romano. Y entonces, sencilla como Teruel, volvía de nuevo la pregunta: ¿Hasta cuándo las mismas cosas?

Sentí el dolor de no conocer el misterio del mundo, el dolor de no ser amado, el dolor que me producía un misterioso ser que en la sombra se dedicaba a hacerme la vida imposible, el dolor —me apretaban mucho— de mis zapatos nuevos, el dolor por la vergüenza íntima que sentía viéndome con una escayola falsa. Recordé que en otras ocasiones había solucionado mi angustia imaginando que me iba. Entonces, teniendo como tenía tanta práctica en escapar de mi angustia por ese procedimiento, me quedé mirando por la ventana del cuarto y al poco tiempo el puente romano se había desvanecido y estaba yo en una casa con acantilado estremecedor y en la que al fondo de todo se arremolinaban las olas y yo estaba totalmente solo en una noche desconocida y sabía que en aquella soledad de mi existencia ciertos fantasmas buscaban contactos.

¿Qué clase de fantasmas?

Pues nada menos que una tribu.

No iba a tardar mucho en averiguarlo.

Cuando volví en mí, decidí llamar a Antonio, preguntarle si no me había gastado una broma. No llegué a preguntárselo, no me dio ni una oportunidad para hacerlo.

—¿Qué tal tiempo hace por ahí? —me dijo.

—Quería preguntarte...

—Frío, seguramente —me interrumpió—. Teruel es muy frío.

—Pues no. Hace un tiempo muy suave, espléndido.

—Pues no sabes cuánto me alegro, Antonio —me dijo Antonio.

Pasado el inicial momento de desconcierto, pensé que me había llamado por su nombre porque tenía miedo de que alguien espiara nuestra conversación. Decidí respetar sus temores.

—Estás muy amable —le dije.

—Vas a ganar, Antonio. Estoy seguro. Mira, tú no andas muy enterado de estas cosas, pero tus dos rivales son vencibles. Tal vez ya te hayan dicho quiénes son, yo acabo de enterarme ahora.

—No, no sé todavía quiénes son.

—Vas a ganar. Uno es Gregorio Bango, que ha escrito una novela histórica sobre la princesa de Éboli. Es un latazo de libro. Y en cuanto al otro tiene todos los números para perder. Es de Teruel y ha escrito su novela contra Teruel. Le quieren matar. Comprenderás que no es el más adecuado para ganar...

—¿Y cómo se llama su novela?

Hubo un silencio, como si no recordara el título, hasta que me dijo:

—*Los zalameros de la pacotilla hortera de Teruel.* El que la ha escrito, por lo demás, es un hombre afable e inteligente, agresivo a veces, divertido cuando quiere. Odia Teruel. Se llama Ramón Guerrero. Y ahora escúchame bien —cambió el tono de su voz, como si quisiera mandarme un mensaje cifrado—, óyeme bien: hace unos años me vio en Barcelona, *me conoce*, pero no se te ocurra darle recuerdos de mi parte. ¿Has comprendido?

Entendí que iba a durar menos que un florero en aquel concurso literario. Entendí que mi hermano me advertía que Guerrero podía descubrir la impostura.

—¿Te conoce mucho? —le pregunté aterrado.

—Me ha visto sólo dos minutos. En una exposición sobre Valle-Inclán.

—¿Sobre quién?

Mi hermano me explicó, con gran capacidad de síntesis, quién era el tal Valle-Inclán. Yo nunca he escuchado con tanta atención.

—Está bien —le dije cuando hubo terminado—. Siempre me gustaron las sonatas, sobre todo la de otoño.

—Exacto. La de verano te pone triste. No soportas el estío. ¿Está claro?

—Clarísimo.

—Adiós, Antonio. Y mucha suerte.

Colgué. Pensé que si alguien había escuchado —cosa por suerte poco probable— la conversación, habría deducido bien fácilmente que, por mucho que yo respondiera al nombre de Antonio, tenía poco de escritor, sobre todo si había reparado en mi absoluta ignorancia en torno a Valle-Inclán. Tal vez (me dije) Antonio tan sólo ha tratado de concienciarme a fondo de que Antonio ahora soy yo.

Decidí que lo mejor sería darme una vuelta por el bar del hotel, averiguar en qué salón tenía lugar el concurso. Descendí por la escalera con paso lento, bastante atemorizado. La escayola me hacía sentir algo ridículo y me quitaba, además, seguridad. Y seguridad era lo único que necesitaba para interpretar mi papel. Ya en el bar, pedí un whisky doble y cuando iba a tomármelo apareció una joven con aspecto de modelo recién salida de la revista femenina.

—Por fin le encuentro, señor Tenorio —me dijo con una sonrisa muy amplia de satisfacción—. No sabe cuánto le agradezco que haya querido venir a esta final. No se nos escapa que usted no viaja nunca. ¿Ha tenido —se quedó mirando mi brazo escayolado con cara de verdadero horror— un accidente?

—Me caí en la bañera, pero no es nada. Un accidente estúpido. Un aviso de que me he hecho viejo.

—Oh, no diga eso... Le están esperando todos los demás. Creíamos que no había venido finalmente.

Cuando me dijo que me estaban esperando todos los demás, se me heló la sangre. Pensé que si superaba el primer minuto del encuentro con todos, ya no tendría problemas. Pero la dificultad estaba precisamente en ese primer minuto. Seguí los pasos de la joven, que tuvo el feo detalle de no pagarme el whisky que había tenido que dejar para un mejor momento.

Descendimos por una escalera medio oscura hacia un sótano pintado de un horrible color rosa, que por un momento me devolvió, en forma de náuseas —estaba, además, muy nervioso por todo—, la imagen del velo rosa de la pobre Carmen.

—¿Se encuentra usted bien, señor Tenorio?

—Son achaques pasajeros. La edad —dije sonriendo.

—¿De verdad que se encuentra bien?

—Lo estaré más si gano el fervor del jurado. Dígame, usted tal vez puede adelantarme algo. ¿He ganado?

—Es norma de la casa no adelantar nunca nada. De lo contrario, los dos escritores que pierden no querrían acudir a la final.

—¿De modo que la gracia de todo esto consiste en que estemos los tres presentes y que dos pasen por el trance de perder?

—Si a eso usted quiere llamarle gracia...

—¿No le parece que es una fórmula perversa?

—¿Y de qué modo lo haría usted? Aquí aceptamos consejos.

—Pues, francamente, convocaría únicamente al ganador.

Sonrió, me miró como si yo fuera un ingenuo, no respondió a mi sugerencia. De repente, me encontré ante un grupo de ocho o diez personas en la puerta de un salón de actos, pintado también de un horrible color rosa. Fue espantoso. Me miraron todos con extrañeza y al unísono. Me tranquilicé algo cuando creí ver que era a causa de la escayola, tan llamativa por otra parte. Me sentí de nuevo inquieto cuando vi que en realidad era mi guante negro lo que les tenía intrigados a todos.

—Me caí en la bañera, señores —dije sonriente y como buenamente pude, y entré en el capítulo de las presentaciones, estreché manos, repartí parabienes por todas partes. Había tres críticos: uno era de Barcelona, el otro de Madrid, y el tercero residía en Libros (provincia de Teruel) y no sólo me dio la mano sino que se empeñó en no soltármela mientras me comentaba su apellido, que era Cañete. Sonriéndome con una extraña complicidad, dijo:

—Como ve, soy pariente de Canetti.

Me pregunté quién diablos podía ser el tal Canetti. Conocía a un fotógrafo ambulante de Barcelona que se llamaba así. Pero estaba claro que no estaba hablándome de ese fotógrafo.

—¡Canetti! —exclamé más que sonriente, mirándole yo también con complicidad.

—¿Sabe que usted a veces me recuerda al hombre-libro de *Auto de fe*?

Tragué saliva. Me salvó milagrosamente del apuro Ramón Guerrero, que en ese momento se apresuró a presentarse a sí mismo.

—Ramón Guerrero —dijo alargando su mano—. ¿Cómo andas, maestro?

—¡Cuánto tiempo sin vernos! —comenté tímidamente, confiando en que no me hubieran tendido una trampa y aquel hombre no fuera Guerrero.

—Desde entonces has progresado mucho —me comentó—. Yo, en cambio, ya ves. Sigo aquí en el fango, en la mierda esta de Teruel.

—No la llamaría yo mierda —dije, ya un poco más seguro de mí mismo.

—¿De modo que tienes otro nombre para ella?

Me puso en un verdadero aprieto, del que no salí demasiado airoso, ya que sólo acerté a decirle, con una mueca que pienso que fue incluso estúpida:

—La llamaría Teruel.

Vi que había arruinado todas sus expectativas de tropezar con una frase ingeniosa de mi parte, me miraba con aire de decepción profunda, y por suerte acudió en mi auxilio en ese preciso instante Gregorio Bango, que me salvó de la situación saludándome efusivamente al tiempo que me provocaba —todo hay que decirlo— un súbito sentimiento de repugnancia, pues en un primer momento, y ya no pude quitármelo de la cabeza, me recordó al chulo de Badajoz. Aunque pronto vi que nada tenía que ver con él, la herida del pasado se había reabierto de una forma irremediable, y cada vez que miraba al pobre Bango no podía contener una oleada de odio que ascendía con fuerza terrible a mi cerebro.

Cuando tras una breve tertulia —salpicada de miradas furiosas por mi parte hacia Bango— entramos en el salón de actos, pude ver que en él había siete mesas con sus respectivos y horrendos manteles —todos de color rosa y reabriendo más todavía otra vieja herida mía— y jarrones con muchas flores, geranios sobre todo. Había cuatro mujeres por mesa. Y todas nos miraron con aire entre divertido y escrutador cuando entramos en grupo en aquel salón de actos en el que había mucha luz, lo que no era inconveniente para que uno tuviera la sensación de que en cualquier momento podía convertirse aquel lugar en un cabaret para mujeres solas, sobre todo porque la organizadora del espectáculo las había sentado a todas frente al coqueto escenario en el que había una mesa rectangular —con mantel rosa y un solo micrófono— donde nos sentamos nosotros, bajo el peso de sus perversas miradas. Yo también las miré a ellas. La mayoría eran muy jóvenes, se las veía entusiastas de aquella reunión: una oportunidad para romper el tedio de Teruel.

Me habían comunicado nada menos que alegría. A mí, al más triste de la tierra, al derrotado en la vida, al forajido de sí mismo. Me estaba diciendo todo esto cuando alguien me colocó en el centro mismo de aquella mesa rectangular, flan-

179

queado por dos críticos, y me dije que seguramente lo hacían como compensación por haber perdido. Ramón Guerrero, entretanto, no hacía más que censurar con la mirada el hecho de que yo presidiera la mesa. Y algo todavía peor ocurría con él: había una especie de tormenta en su mirada y no hacía más que estudiarme con toda fijación, como si hubiera detectado en mí ciertos detalles que no le encajaban nada con el recuerdo que tenía de Antonio. Bajo aquella mirada tormentosa y obsesiva, la directora de la revista leyó –muy mal– una selección de los comentarios escritos de las intrépidas jueces de nuestra literatura. Así llegué a enterarme de que era admirable la reconstrucción que había yo hecho de la Ítaca de hoy sin haberla visitado nunca. Alguien aplaudió lo que debió de considerar un comentario muy atinado. Y yo, sintiéndome halagado de repente, incliné torpemente la cabeza, como si estuviera haciendo un signo de aprobación y agradecimiento. No había nunca imaginado que el mundo de las letras pudiera resultar tan divertido y hasta estimulante. Si todo en ese mundo era así, tendría que reconsiderar –me dije– mi visión del mismo. Qué alegría y qué bien de pronto me sentía. El sentimiento aquel de relajamiento y felicidad hacía tiempo que lo había olvidado. Me revolví en mi silla, inquieto. Debieron de pensar que me preocupaba saber si era yo el premiado, y sin embargo lo único que me mantenía en vilo era saber cómo había sido tan idiota de pasarme tantos años ignorando la alegría y el buen humor que rodeaba las manifestaciones de la literatura: un mundo que ahora intuía genial.

Secretamente divertido, miré de pronto a los otros dos escritores, y lo hice con superioridad, pues los veía ahora insustanciales e infelices. Los miré, primero a uno y después al otro, y les mandé una sonrisa absoluta de gran superioridad y un más que infinito desprecio. Me dije que, por mucho que muy posiblemente fuera a perder el concurso, yo era feliz gracias a él y, sobre todo, en cualquier caso yo era muy superior a ellos. Tuve, pues, un violento ataque de orgullo, que reforzaron aún más las intervenciones de los críticos, que leyeron sus misteriosas reflexiones sobre nuestros libros y a mí me dejaron por las nubes, diciendo, por ejemplo, que llevaba años viajando de forma ejemplar alrededor de mi cuarto, pero que ése, con ser un indudable mérito, no era ni mucho menos el principal, ya que aún más importante era el haber sabido elevar la calidad de un discutible género —el de los viajeros inmóviles que fingen viajes verdaderos— y ser, además, un digno sucesor de Julio Verne. El crítico de Barcelona llegó a interrumpir la lectura de su opinión sobre mis escritos para decir: «Miren si se mueve poco de su escritorio que yo en Barcelona no he coincidido con él en ninguna parte. Y eso que los dos llevamos el mismo tiempo, que viene ya siendo mucho, en la misma ciudad. Pero ya ven. He tenido que viajar a Teruel para tener la oportunidad de encontrarme con el mítico viajero inmóvil del barrio de Sant Gervasi.»

Y si he dicho *mis* escritos es porque, a esas alturas de la reunión, casi me creía yo que era Antonio, cuyo rostro, si de repente me daba por evocarlo, me parecía que si no era el mío bien poco le faltaba en su intento de querer ponerse en el lugar del mío y expulsarme así a mí mismo de una forma ya definitiva.

Recuerdo que la palabra Teruel, pronunciada con emoción por el crítico, levantó algunos aplausos, y cayó un jarrón al suelo y se oyó a continuación un grito que me pareció que hasta tenía eco, y se oyó un hipo repentino, y luego otro, tres, cuatro hipos, y mucha risa en toda la sala. Observé que Bango aprovechaba la confusión para flirtear con una de las chicas del jurado y se tapaba, con pretendida gracia, un ojo, imitando de esta forma, con grotesca chulería, a la princesa de Éboli. Y, estando así las cosas, de pronto se hizo un silencio de muerte, y es que alguien anunció que iba a leer el palmarés del jurado. «He perdido», me dije. Y había ganado. Por amplia mayoría de votos. Un aplauso cerrado y todas las miradas de ellas dirigidas a no perderse un detalle de mi reacción. Simulé simple estupor. Entonces la directora anunció que se abría un coloquio —término que jamás había oído pero que no tardé en comprender— y me cedió la palabra a mí. Di las gracias, emocionado por la sorpresa del premio —el primero de mi vida—

y casi con lágrimas en los ojos, pues acostumbrado como estaba a que la vida me tratara siempre como a un perro apaleado aquel premio no podía hacerme más feliz. «No todo tienen que ser desdichas», me decía con secreta alegría. Y luego, dirigiéndome al jurado: «La vida no es tan cruel como pensaba. Tiene a veces sus compensaciones.» Eso es lo que añadí con voz entrecortada.

—¡Anda ya! —se oyó entonces con toda nitidez. Era Guerrero, muy furioso. Pasada la inicial sorpresa, deslizaron hacia él el micrófono, le preguntaron si es que quería decir algo más. Recuerdo que, en un gesto instintivo, cerré mucho mi boca y traté de mantenerme en una actitud muy seria que en ningún momento delatara lo contento que estaba por dentro, ni tampoco mi sorpresa ante la actitud de mi rival.

—Si es que sois unas memas —dijo Guerrero—, unas perfectas idiotas, no tenéis ni zorra idea de lo que leéis, guarras, ¿qué sabréis vosotras de libros y de lo que es escribir y perder la salud haciéndolo?

—¿La salud? —preguntó la que parecía la más joven de todo el jurado.

—Claro. La ansiedad que el oficio de escribir trae consigo es intolerable. Y aun suponiendo que acabes ganando dinero, eso no te compensa nunca del gasto de energía, del daño a la salud causado por los estimulantes y los narcóticos, del miedo de que tu propio trabajo carezca de valor. ¿Me entiendes ahora, mamona?

—No parece haber encajado bien la derrota —le recriminó la directora.

—¿La derrota? Pero ¿quién ha vencido? —Me miró con odio y hasta me entró pánico—. ¿Quién ha ganado? ¿El viajero fósil de escayola y guante negro? Por Dios...

Lo que más me molestaba de todo no era que me tratara como a un monstruo (después de todo, lo soy), sino que no me hubiera dejado saborear secretamente, ni un segundo, mi triunfo.

Con tal de frenar a Guerrero, le pasaron el micrófono a Bango, que no se mostró ni mucho menos tan enojado.

—Seré sincero por una vez en mi vida —dijo—. Yo escribo sobre perdedores, pero lo cierto —hizo un gesto que me recordó de nuevo al chulo de Badajoz— es que en la vida real a mí me gusta mucho más ganar que perder. Pero en fin, el naufragio de esta noche ya no tiene remedio, de modo que saludo al campeón.

—¡Anda ya! —volvió a oírse—. Pero si todo eso que vosotras leéis, tragáis, chupáis, premiáis, cagáis, todo eso no es más que puro polvo que en Teruel mordéis.

—Sabemos leer —dijo riendo una del jurado—. Aquí lo único que pasa es que no nos ha gustado nada tu libro, que es horrendo.

—Claro. Porque digo pestes de Teruel —dijo Guerrero—. ¿No es eso lo que ofende vuestros oídos?

—Ni mucho menos —contestó otra, una mujer obesa—. Lo que nos ofende es que el libro sea malo de solemnidad. Es horrendo, hijo. Mi compañera ya lo ha dicho. Diré más: los tres libros en realidad son raros y más bien espantosos, todos son demasiado tristes y pesimistas, pero al menos el del señor Tenorio tiene ciertas notas de humor.

Habría preferido que me tragara la tierra, pues ya no sólo no podía saborear mi triunfo, sino que además ahora me sentía hundido y humillado. Llegué incluso a odiar a Antonio por haber escrito un libro tan pesimista. Y en ese odio había, para el pesimista en el que me había convertido, un sorprendente, casi paradójico, germen de optimismo, pues en el fondo —y parecía como si Antonio lo hubiera intuido por completo de antemano— todo cuanto me estaba sucediendo en Teruel tenía el aire de estar conduciéndome con sabiduría al final del negro túnel de mis salvajes desdichas.

—¡Anda ya! —volvió a oírse—. Pero si es que sois tontas. A ver. ¿Tenéis niños? Seguro que sí, pero todos adoptados o muertos. Ni siquiera eso sabéis tener. ¿Cómo vais a saber algo de literatura? ¡Anda ya! A bodas os voy a invitar. Y a beber alcohol. De arroz caliente. ¡Anda ya!

Apareció de nuevo, algo más discreto pero perfectamente audible, el hipo, y hubo otra vez risas, gran jolgorio por toda la sala. No parecían en absoluto afectadas por las palabras de Guerrero. Es más, se las veía muy felices de vivir aquella situación gracias a la cual asistían, entre otras cosas, a un espectáculo gratuito de alto nivel, de esos de los que no andaba demasiado sobrada la ciudad. Ninguna de ellas parecía nada arrepentida de haberse embarcado en aquella pintoresca aventura; de haberse ofrecido, por puro placer, a juzgarnos. Todo lo contrario, y la prueba estaba en que, más allá de la cruel lectura del palmarés, seguían juzgándonos, y no parecían tener intención de dejar de hacerlo en mucho tiempo.

—Si es que es horrendo tu libro —intervino otra—. O dicho de otra forma: es malísimo.

Lo dijo sin dirigirse a nadie en concreto, pero Guerrero entendió que el comentario era para él, ya que intentó arrojar el micrófono al público. El crítico turolense lo redujo con la eficacia —una perfecta llave inglesa— que se le supone a un guardaespaldas. Y ahí terminó el coloquio, terminó tan pronto que incluso todavía era de día. En el bar del hotel departimos un poco con el jurado, pero sólo un poco porque más de una de ellas parecía gozar comportándose con nosotros de la forma menos compasiva del mundo. Vi que a su manera Guerrero se vengaba, pues hundió su mano en el bolso de una de ellas y le robó un libro. ¡Anda ya!, se oía de vez en cuando, y alguien llegó a pedir una camisa de fuerza. De hecho, Guerrero parecía necesitarla. Se acercó con cierta agresividad a donde yo estaba. ¿Y ese guante negro tan hortera?, me preguntó. Sí, la camisa de fuerza no le habría sentado nada mal. Lo comprobé cuando, una hora después, las circunstancias del destino me dejaron a solas con él por las calles de Teruel. Estaba empeñadísimo en que descendiera a los infiernos mismos del horror de aquella ciudad. Pero llevar a cabo ese descenso con él no sólo era poco recomendable y arriesgado sino que, por suerte, era imposible, pues tenía prohibida la entrada en la mayoría de los bares de la ciudad. Acabamos entrando en la catedral, hablando del paso del tiempo y del tema de la vejez en un banco muy cercano a la tumba de un futuro santo, un cura agustino, Anselmo Polanco, obispo de Teruel durante la guerra.

—Contestando a tu pregunta de antes —le susurré—, llevc un guante negro para ocultar las arrugas de mi mano izquierda, que no sé por qué ha envejecido mucho antes que la derecha. La verdad es que todo yo he envejecido mucho en los últimos tiempos.

Me preguntó si eso me preocupaba, y le dije que sí, que mucho. Entonces, hablando como si estuviera en un confesionario, me dijo:

—Tal vez te parezca extraño, amigo Antonio, pero te lo juro por la memoria del obispo Polanco —esto fue dicho con una ternura como mínimo sorprendente en alguien que odiaba todo lo de Teruel—, te lo juro, tienes que saber que de ninguna manera me concibo yo en mi vejez, lo mismo que de ninguna forma me veo enfermo, agonizante. Ni siquiera suicidado, como a veces me pienso o trato de verme a mí mismo. Me veo siempre eternamente joven, contra Teruel.

—Pero eso no es más que una tontería. Es como pensar que nunca nos moriremos.

—Exacto. Y es que si no existiese la seguridad de que todos nos morimos, yo, como no me veo muerto, no creería en absoluto en mi muerte...

Sonrió feliz tras su *boutade*, pero como yo entonces aún no conocía la existencia de las *boutades* —estaba acostumbrado a otro género de cosas y, sobre todo, aún no había leído los cerca de dos mil libros (tres por día) que he devorado en estos dos últimos años— le dije, sin caer en la cuenta de que él no había hablado en serio:

—Es mejor que pienses en tu muerte, porque, como no lo hagas y sigas diciendo tonterías, voy a darte un bofetón.

—¿Con qué mano? —preguntó.

Me lo quedé mirando. Pensé que era mucho más divertido que mis dos hermanos juntos. Si todos los escritores eran como él o como Bango había que reconocer que había estado equivocado creyendo que era un asunto de telarañas el oficio de escribir. Tal vez había estado equivocado huyendo del mundo de las letras. Después de todo, sólo ese mundo había conseguido ponerme de buen humor después de tantos años de no conocer ese estado.

Lo que no dejaba de sorprenderme es que todos hubieran creído que yo era Antonio. Llegué a decirme que había interpretado extraordinariamente bien mi papel, pues de lo contrario no me explicaba que en ningún momento nadie hubiera puesto en duda mi identidad. ¿Tanto me parecía yo a Antonio? Me sentía casi molesto, como el adolescente que está contra su padre y de pronto descubre con fastidio ante el espejo que acaba de hacer un gesto muy parecido a los de éste.

—¿Te gusta esta catedral? —me preguntó Guerrero, y creo que susurró más que nunca.

—Pues la verdad es que mucho. Y qué tranquilo se está.

—A mí también me gusta mucho. Es el único lugar de Teruel que hoy en día soporto. Vengo a menudo aquí, al lado del obispo Polanco, que yo creo que me protege. Es lo único que me impide desesperarme del todo. Bueno, esto y también mi mujer, que ayuda en lo que puede, sobre todo porque teme mis depresiones, es decir, por su propio interés, aunque es una buena mujer en el fondo, y además comprendo que tener que cargar conmigo no es fácil... El año que viene tendremos un hijo. Lo hemos decidido después de muchas dudas. Porque los hijos están muy bien cuando son muy pequeños, pero a cierta edad sólo piensan en dejarte, cuando no en atropellarte...

Tenía la idea de que los escritores eran ateos, pero no parecía que fuera el caso de Guerrero. Muerto de curiosidad, le pregunté —creo que no hacía ni falta— si era creyente.

—Creyente es poco —me respondió, y para hacerlo levantó tanto la voz que era como si no me lo dijera a mí sino a Dios.

—Bueno, no gano para sorpresas esta tarde —susurré.

—¿Qué has dicho?

—No, nada.

—Algo habrás dicho. ¿Es que acaso tú no crees en Dios?

Como no quería contestar a eso para no incomodarle —mi respuesta habría sido que sí creía pero que se trataba de un

Dios horrible para mí, ya que llevaba ya muchos años, en la sombra, dedicándose a joderme de lo lindo–, me salí por la tangente, demasiado por la tangente, porque le dije lo primero que se me ocurrió y que pudo llegar a ser toda una imprudencia:

–Que si no has notado, amigo Guerrero, que yo no soy ni he sido nunca Antonio Tenorio.

–¡Anda ya! Ya veo que eres de los que ha leído todos los cuentos sobre el tema del doble y todas esas zarandajas.

–Dime una cosa, necesito que me la digas. Imagínate, por un momento, que yo no fuera Antonio Tenorio sino alguien disfrazado de tal, un paleto, un ignorante absoluto en lo literario, alguien que en su vida hubiera leído un libro, pero que deseara leer uno antes de morir. ¿Qué libro sería el que me recomendarías?

Me miró tratando de averiguar si me había vuelto loco de pronto, y quedó poco después pensativo, hasta que, sacando de su bolsillo el libro robado en el hotel, me lo entregó susurrando con cierta solemnidad:

–Éste sería el que sin duda te recomendaría. Es el mejor del mundo. En cuanto lo he visto en el bolso de esa llamémosle dama, no he podido evitar la tentación de robárselo. Es mi libro favorito. ¿Te sorprende?

No sabía qué era más oportuno contestarle y me escabullí como pude leyendo en voz alta el título de aquel libro.

–*Robinsón Crusoe* –dije.

–Colección Clásicos Juveniles –subrayó él al borde del orgasmo.

–Pero tiene un inconveniente. Es uno de los pocos libros que ya sé de qué trata...

–Qué burro eres –me dijo sonriendo, diría que hasta cariñoso conmigo a pesar de cierto resentimiento que aún tenía hacia mí por haberle ganado en el concurso.

Luego se santiguó y me dijo que empezaba a estar harto de estar allí y que prefería dar por terminadas sus oraciones. Se puso en pie, hizo una aparatosa reverencia ante la tumba del obispo Polanco y me invitó a seguirle. Salimos a la calle, atardecía. Era suave el crepúsculo, suave el aire, era suave el sol y nada suave mi pensamiento cuando le pregunté si podía prestarme el libro.

—¡Anda ya! —dijo—. Cosas así ni se preguntan. Llévatelo, llévate el libro. ¿De modo que te he dado ganas de volver a leerlo? Así me gusta. Que le hagas caso a este viejo lector.

No podía Guerrero estar más convencido de que yo era Antonio Tenorio. Guerrero tenía —me lo dijo al dejarme en el hotel— la fe del carbonero.

Acababa de aparecer una novela de Rousseau y la princesa de Talmont se acicalaba para ir a un baile de la Ópera. En la espera comenzó a leer esa narración nacida de un furtivo beso a la luz de la luna. A medianoche, avisaron a la princesa que los caballos estaban enganchados.

—Enganchados —se limitó a repetir la princesa.

Y continuó leyendo.

A las dos avisaron de nuevo. A las cuatro mandó desenganchar los caballos, hizo que la desvistieran y pasó toda la noche leyendo las desventuras de la desgraciada heroína de la novela.

Algo parecido me ocurrió a mí en el regreso en autocar de Teruel a Barcelona cuando quedé bastante atrapado por la lectura de la historia del náufrago Robinsón.

Me gustó bastante ese libro, hasta el punto de que me dije que, si todos los libros eran de ese estilo, el mundo de mi hermano que tanto había despreciado podía tener su interés. Fue como si, a la manera de un San Pablo, me hubiera caído de pronto del caballo. Me gustó bastante ese libro, entre otras cosas porque la acción me permitió recordar todo el rato —sobre todo en los espacios en blanco, en los cambios de capítulo— a Rosita. Y es que la acción, la isla desierta donde pasa todo, está situada por Robinsón en la desembocadura del Orinoco, al lado mismo de Trinidad y Tobago, es decir que nada extraño sería que la isla fuera Beranda, ese lugar hermoso y trágico donde se había cerrado el círculo de mis constantes naufragios en la vida.

Hoy lo sé, y si lo sé es porque he leído mucho en estos dos últimos años, tanto que hasta soy capaz de contarme mi vida en este diario secreto de los tres tucanes. Sí. Hoy lo sé: los hilos de una historia se unen de cuando en cuando formando un cuadro en el tejido, es decir, una imagen.

Hoy lo sé: hay en los libros que nos gustan cuadros que nunca olvidaremos, pero a su lado viajan también frases que, como rumor de fondo, habrán de acompañarnos hasta el fin de nuestros días.

Robinsón asustado ante el descubrimiento de la huella de un pie humano en la arena de Beranda es una imagen sobrecogedora, de gran fuerza, pero de todos modos, aun reconociendo que es el momento estelar del libro, hay en el mismo una frase que, para mí, supera a cualquier imagen, incluida la de la huella humana y aterradora. Y la supera por la sencilla razón de que esa frase me ayudó a cambiar de vida.

La frase dice: «Después de tantos años de infortunios, sentí vivos deseos de relacionarme con aquella tribu.»

Lo mismo me sucedió a mí. Después de tantos años de infortunios, sentí vivos deseos de saber algo más del mundo de mi hermano, del Club de los Literatos. ¿Y por qué? En realidad porque no tenía dónde caerme muerto. Mi caso no es, por supuesto, único. He podido saber, por ejemplo, que la mayoría de los escritores lo son porque no les queda otro remedio, es decir, porque no están a su alcance mejores cosas que hacer.

Yo vi muy claro, desde el primer momento, que como no podía tener a Rosita entre mis brazos ni me quedaban ganas ni dinero para seguir viajando, no se abría ante mí un panorama mejor, aparte del suicidio, que pasarme al mundo de mi hermano, que, como hoy sé muy bien, es un mundo raro, un enjambre de solitarios y misóginos, una jauría de seres incapaces de compartir el desayuno. Yo, la verdad, soy uno de ellos desde que escribo este dietario. Y, como ellos, dejo la vida para los que ignoran lo que se juegan en ella y llevo la vida de un muerto. Porque no se me escapa que o bien se vive a fondo la vida a costa de ser un Indiana Jones y un paleto, o bien se escribe y se le da un significado a la existencia, pero entonces no puede vivirse. Dicho de otro modo: si estás en la vida eres insignificante; si quieres significar, estás muerto.

Está claro que no me equivoqué: el mundo de mi hermano era el lugar más apropiado para alguien que, como yo, estuviera buscando dónde caerse muerto.

Pero no está bien que silencie algo. Después de todo, éste es un dietario secreto. No está bien que me oculte a mí mismo la razón esencial de que me haya apartado de la sociedad. No ha sido sólo el cúmulo de infortunios lo que me hace sentirme hoy escritor oculto y hombre viejo y derrotado en la vida. Algo tiene que ver también el que sea el culpable de un crimen. Ese crimen es el que me ha hecho pasar de lector voraz a escritor secreto. Se lo agradezco mucho al crimen, se lo agradezco de verdad el que me esté concediendo unas facultades extraordinarias de lucidez para escribir acerca de mí mismo y de la vida de los Tenorio, pero también es cierto que me he convertido —qué le vamos a hacer si ya no tiene otro remedio— en un perfecto y definitivo muerto.

Bien muerto estoy esta noche de miércoles y de nuevo bajo los efectos del insomnio. La luna es un espectro. El insomnio chupa hoy como nunca la sangre de mi cerebro, me mantiene recordando lo que quisiera olvidar con un plácido sueño. Me siento como un barco condenado a dirigirse, con sólo desaliento a bordo, contra las rocas.

Lleva rato la espectral luna insistiendo en recordarme unas frases de Italo Svevo: «Cuando todos comprendan con la claridad con que yo lo hago, todos escribirán. Y el recogimiento ocupará la mayor parte del tiempo, que será así arrebatado a la horrenda vida verdadera.»

Si termino este cuaderno de los tres tucanes me gustaría que la cita encabezara esta novela secreta sobre nosotros los Tenorio. Se trataría, en cualquier caso, de un acto de completo cinismo, una cita hipócrita para quedar bien ante mí mismo, que estoy condenado, por culpa de mi crimen de Veracruz, a ser el único lector del cuaderno.

Una cita contra la vida y a favor de la literatura. Queda muy bien como cita, pero no puede ser más insincera. Y es que en realidad —me lo diré a mí mismo parodiando a Cernuda—, si soy escritor, lo soy a la manera de aquellos que no pueden ser otra cosa: y entre todas las cargas que el destino pusiera sobre mí, ha sido ésta la más dura.

Ni Cervantes se salva de la pena que me dan los escritores. De Pessoa, decía su hermana: «Ahora que tengo todo el tiempo para pensar y para sentir y veo que él vivió muy solo, lo leo e intento comprenderlo y siento mucha pena.»

«Mi hermano es uno que escribe y trata de negocios.» La frase es de la hermana de Cervantes.

No sé que pensar.

Malestar.

La luna es obsesiva.

Sigue el insomnio.

191

El velo blanquecino de la neblina nocturna de S'Estanyol de Migjorn se ha ido cerniendo sobre el alféizar de la ventana. He procurado permanecer inmóvil en la cama. Un rayo ha encendido la neblina, y me he incorporado lentamente. La figura de Moctezuma ha rasgado la oscuridad como una llama. Le he visto ir al encuentro de Hernán Cortés. Le llevaban bajo palio grandes caciques, y el color de las plumas verdes con labores de oro, con mucha argentería y piedras chalchihuites, deslumbraba en mitad de la noche mallorquina.

Venía Moctezuma de Tenochtitlan y sonreía de una manera infinitamente seria.

Iba bellísimamente ataviado y llevaba zapatos con suelas de oro y una gran pedrería encima de ellas. Le ponían mantas para que no pisase la tierra, y ni los grandes señores se atrevían a mirarle en algún momento a la cara.

Hernán Cortes ha estrechado su mano y le ha ofrecido un collar con margajitas, que venía ensartado en unos cordones de oro con almizcle para que oliera bien. Cuando en silencio Cortés ha colocado en el cuello de Moctezuma el collar, éste se ha quedado mirando la espada del extremeño y una nube ha borrado de golpe mi luna de Veracruz.

A veces imagino que me voy.

A veces me voy demasiado. Viajo entonces en una especie de ensueño.

Imagino, por ejemplo, que me visita la niña Berta en

plena noche. Salta sigilosamente de su terraza a la mía, iluminada por una luna de plata. Me ordena con una caña de bambú que le cuente historias de mariachis. Me digo entonces que la otra realidad, la de los demás, la dimensión secreta del sueño de mis vecinos, me ha visitado. Le digo que es una niña muy guapa.

—Muy linda —me rectifica.

—Eso —le digo—. Muy linda.

—Sí, pero muerdo.

Para evitar que me vea desconcertado, le hago la tópica pregunta que se hace a los niños.

—¿Cómo te llamas?

—Ya lo sabes —responde antipática—. ¿Y tú? ¿Cómo te llamas?

—Enrique.

—¿Por qué?

Su imagen se desvanece con la luna de plata, que también se va de paseo hacia la nada.

En la oscuridad absoluta de la noche, oigo la voz de su padre, el dentista. Me pregunta si alguna vez he pensado por qué tantos y tantos chulos llevan dientes de oro. Le digo que nunca me lo he planteado ni me interesa. Cambia de tema enseguida. Me dice que le gustaría que yo, como experto en la materia, le explicara por qué hay tanta melancolía en la canción mexicana. En el rigor de muerte de la profunda oscuridad de mi cuarto frente al mar, me esfuerzo en explicarle que con frecuencia el tema de esas canciones es el amor, y el amor —le digo— es felicidad y tristeza.

El cuarto se llena de pronto de una suave luz plateada, que poco a poco va en aumento. Cae el velo de mis ojos hechizados y veo, a través de la ventana abierta, que ha vuelto a aparecer la luna de Veracruz y que me mira ahora desde un cielo sin nubes. El dentista se desvanece en el acto, desaparece en el interior de la oscuridad misma de la que ha surgido.

Vuelvo a viajar en una especie de ensueño, y vuelvo, por ejemplo, a matar a un bandido que me ha asaltado en un peligroso cruce de caminos, en Dahomey: en defensa propia no me queda otro remedio que disparar sobre él, y lo derribo muerto al primer disparo.

Vuelvo, por ejemplo, a robarle un peine al señor Botero. Y con ese peine, convertido en peligrosa arma de cinco filos como cinco dedos puntiagudos, persigo de nuevo, con mi única y trágica mano, como el mes pasado en Veracruz, al culpable de todos mis males e infortunios, a ese cerebro en la sombra que se ha pasado toda mi vida destrozándomela. A ese enigmático ser que me ha dejado poco menos que convertido en uno de esos trapos de cocina que se dejan secar al sol y se olvidan.

Persigo por el puerto al marino al que, bajo los efectos del mezcal y la tequila y otras diabólicas drogas, he confundido con el Hacedor de todos mis males, he confundido con Dios. Le persigo por todas las cantinas, y acabo iniciando un siniestro descenso a los infiernos de la noche veracruzana y del muelle viejo, y lo asesino, mato a Dios, al que he confundido con un triste chulo de Badajoz.

Teniendo en cuenta este crimen, hago muy bien viviendo lejos de Veracruz, cuanto más lejos mejor. Me estoy diciendo esto cuando me doy cuenta de que no estoy solo en mi cuarto. Abro bien los ojos y veo una cara de aspecto lívido que me mira fijamente con ojos plateados y vacíos. Lentamente se desliza en el cuarto y extiende un largo brazo blanco, cruzando el suelo hacia la cama donde estoy. Comprendo que estoy recibiendo la visita de un fantasma, manco como yo, un fantasma de verdad.

Y digo de verdad porque juro haberlo visto.

Me dice que es alguien a quien le gusta arrastrarse bajo los tilos de los viejos parques solitarios y helados, frecuentar las ruinas de los castillos o de las iglesias, vagar por los viejos cementerios e inclinarse sobre las tumbas para leer los nombres de los muertos.

—¿Has venido sólo para decirme eso? —le pregunto.

—He venido para decirte que llevas en la frente la verdadera cruz del antiguo puerto de la Vera Cruz.

—Lo sé.

—Y también para decirte algo sobre lo que quizás todavía no hayas reparado. El hombre tiene dos ideales. Uno es la divinidad, el otro es la juventud. Quiere el hombre ser perfecto, inmortal, todopoderoso; quiere ser Dios. Y quiere verse lozano y sonrosado, y permanecer siempre en la fase ascendente de la vida; quiere ser joven. Pero tú, desgraciado entre los desgraciados, has matado a Dios y a tu juventud.

Tiene dientes de oro este fantasma manco. Y juraría que, al entrar en el cuarto, mientras se hallaba todavía en esa tierra de nadie, entre lo real y lo irreal, iba tocado con un panamá.

Me augura, con solemnidad, que de ahora en adelante tendré la suerte de llevar una vida de joven viejo, ligeramente —sólo ligeramente, me subraya— infeliz. Lo cual no es poco, según él, pues podría ser todo mucho peor. De modo que haré bien en dar las gracias por esa vida de suavizada desgracia que me aguarda y por la que, encima, deberé pagar un alto precio si no deseo que siga siendo desgraciada del todo.

—¿A qué me condenas? —pregunto temeroso—. ¿Se puede saber a qué me condenas?

—A tener insomnio y escribir sin descanso alguno. A eso te condeno.

Doy un grito de horror.

—¿Por qué le mataste? —me pregunta con voz muy firme.

No respondo.

Entonces insiste, repite la pregunta:

—¿Por qué mataste a Dios?

—Lo maté porque era de Badajoz.

Y añado, sonriendo de una manera infinitamente seria, evocando antiguas alegrías secretas de Moctezuma:

—Es que soy de Veracruz.

Era mejor ser autodidacto. Buscarme la vida —en este caso los libros— por mi cuenta. Nada de pedirle consejos a mi hermano. Me lo imaginaba congraciándose con la vida y volviéndose inmensamente fatuo al preguntarle yo qué libros me recomendaba.

—Para empezar, deberías leerme a mí, que soy grandioso.

Me imaginaba a Antonio reaccionando más o menos así ante mi pregunta, y la sola idea de que eso pudiera suceder de verdad me empujó a la aventura de buscarme yo mismo, sin ayuda alguna, los libros que más me podían convenir.

El segundo libro que leí fue la *Odisea*. Entré en una librería de una calle cercana a las Ramblas y pregunté si tenían algo parecido a *Robinsón Crusoe*. Pasado el primer momento de estupor, el encargado de la tienda, viendo que no estaba bromeando, se dirigió a la estantería más poblada del establecimiento, se encaramó a una silla y, al poco tiempo, levantando algo de polvo, me entregó el libro del ciego Homero.

—Tome, caballero. Ulises tiene algo de Robinsón. Y viceversa. Ya verá como le gustará.

Eso me dijo, juraría que radiante de satisfacción por la buena obra que sentía haber hecho. Tal vez hacía mucho tiempo que ese librero no veía a alguien realmente interesado en la noble afición a la lectura.

Devoré en pocas horas la *Odisea*. Trata del regreso al hogar, con las desilusiones, las recompensas, lo que sigue igual, lo que ha cambiado. Aunque me gustó mucho, eché siempre en falta la presencia de ese adorable negro llamado Viernes. Eso me hizo sospechar que tal vez nunca podría encontrar un libro que superara al primero que había leído. Pero como no era cuestión de desalentarse a las primeras de cambio, decidí olvidarme de la sospecha y seguir buscando libros que superaran la gracia de mi *Robinsón*.

Decidí leer todas las novelas importantes que se hubiesen escrito desde el comienzo de la humanidad.

Me aficioné a una vieja colección de clásicos: unos horribles volúmenes que parecían de antes de la guerra y muy baratos, siempre mal encuadernados y con ocasionales prefacios de firmas supuestamente prestigiosas. Había que comprarlos sin haber gozado del placer de hojearlos, pues siempre iban firmemente ceñidos en un envoltorio de papel transparente, encargado de disimular su mal estado.

Compraba cinco o seis volúmenes diarios. Había tardes en que la pila entre mis brazos se convertía en una carga incluso difícil de llevar. Destrozado y feliz —como Ulises—, volvía a casa, a mi triste aunque coqueto ático. Disponía cuidadosamente mis nuevas adquisiciones sobre la moqueta azul celeste, llena de las más variadas huellas de pintura de mi querido y malogrado hermano Máximo. Tumbado boca abajo, de un gesto rasgaba con un chasquido el enojoso celofán. Hacía todo esto en el más riguroso secreto, lejos de la vista del sabio —es decir, de mi hermano Antonio—, pues no estaba dispuesto en modo alguno a que se riera de mí. Sólo me faltaba el sabio, con su pipa apagada y la bata de seda de papá, mirándome con sorna y diciéndome con sarcasmo:

—De modo que ahora E. T. se nos ha convertido a la religión de los lectores...

Me llamaba E. T. no sólo porque éstas fueran mis iniciales sino porque me veía como a un perfecto extraterrestre. Por suerte, sus bromas no hacían mella en mí. Yo era consciente de que debía ir directamente a lo mío. Sabía que o bien me hacía la ilusión de haber encontrado en los libros una razón para sobrevivir o bien me suicidaba. En un par de semanas, recuerdo que llegué a leer la friolera de cincuenta clásicos, y recuerdo también que de la mitad de ellos apenas entendía nada, pero me obligaba a mí mismo a leerlos hasta el final, movido siempre por la vaga esperanza de que en las últimas líneas el escritor tuviera el detalle de explicarse un poco o, simplemente, pidiera perdón por tanta impericia y desvarío.

En cuanto a la otra mitad —los clásicos que sí entendía—, sólo puedo decir que me aburrían, por lo general, enormemente, pues tenían el inconveniente de ser novelas excesivamente claras y comprensibles, lo que me llevaba siempre a intuir demasiado pronto el desarrollo de la acción y convertía el proceso de leerlas en algo que, a la larga, resultaba un proceso mucho más doloroso que el de llegar hasta la última línea de las novelas incomprensibles, ya que al menos en éstas notaba yo que se alimentaba un tipo de morbosa expectativa —falsa, pero a fin de cuentas expectativa— que parecía prometer bondadosamente que al final todo el contenido terminaría por volverse transparente.

De entre tanto libro previsible o bien incomprensible, no todo fueron decepciones en esas dos primeras semanas de afición a la lectura indiscriminada de novelas. Recuerdo la primera frase de *La metamorfosis* del checo Kafka: «Al despertar Gregorio Samsa una mañana, tras un sueño intranquilo, encontróse en la cama convertido en un enorme insecto.» Recuerdo que pensé: «¡Caramba! Pero si es así como hablaba Máximo. Debió ser escritor y no pintor. El pobre Máximo se equivocó en todo, hasta en eso.»

No todo fueron decepciones en esas dos primeras semanas de afición a la lectura indiscriminada de novelas. Me queda, por encima de todo, el recuerdo inolvidable de dos libros en concreto o, para ser más exacto, de un episodio fundamental de cada una de ellas: dos episodios que si hoy siguen entusiasmándome es porque los relaciono con lo más destacable que le ha sucedido a mi vida en estos dos últimos años.

Del *Quijote* me queda, sobre todo, el recuerdo del episodio del descenso de Alonso Quijano a la cueva de Montesinos. Dos años después de haberlo leído, el destino quiso que también yo, en este caso en Veracruz, descendiera a la cueva de mis fantasmas personales. Tengo hoy la impresión de que si, como parece, es dentro de don Quijote donde está realmente la cueva, dentro de mí está el descenso criminal al muelle viejo del puerto de Veracruz, ese lugar del Golfo de México donde sin duda bajé yo a la cueva más profunda de mí mismo.

En un libro más moderno encontré el otro episodio inolvidable. Su protagonista es un tal Zeno, que es alguien que tiene el vicio de fumar y encuentra sentido a la vida en su lucha por dejar de hacerlo, pues así se protege de otros males que podrían ser peores; el drama llega cuando el médico le anima a seguir fumando sin preocuparse por los efectos nocivos de la nicotina. Entonces el tal Zeno descubre que fumar sin culpa no proporciona placer.

Lo mismo podría decir de mí aplicándolo a este cuaderno de los tres tucanes: sin mi profunda inquietud por lo que pasó en Veracruz, no encontraría yo placer en este dietario que va componiendo mi desasosiego e insomnio. Escribir sin culpa no proporciona placer.

Pero en mi vida de lector el verdadero gran acontecimiento me iba llegar a través de un librito titulado *Pedro Páramo*, que empecé a leer con verdadero fastidio, pues pensaba que era igual que *Peñas arriba* del santanderino Pereda (el último clásico que había leído), hasta que de pronto, cuando menos lo esperaba, me llevé un susto de muerte; volví a repetir la lectura de la frase que me había chocado tanto, volví a leerla bien despacio y pude ver que, en efecto, había leído bien, y entonces un escalofrío —el frío de la muerte— se apoderó de todo mi cuerpo; fue la única vez que, leyendo, me ha ocurrido un fenómeno semejante.

«Entonces sospechaba bien», me dije, «requetebién, porque es verdad lo que suponía. Estoy muerto.»

El librito —como la *Odisea*— trata también del tema del regreso. Pero en este caso la diferencia está en que el héroe, el que regresa, es un alma en pena, un perfecto muerto.

«No dormía», puede leerse al final de la novela, «se había olvidado del tiempo y del sueño. Dijo: "Los viejos dormimos poco, casi nunca. A veces apenas si dormitamos, pero sin dejar de pensar. Eso es lo que nos queda por hacer."»

He recordado estas frases, las he pasado al dietario, y luego he ido a la cocina a prepararme unos bocadillos. Mientras los preparaba he recordado que, en combinación con el cupón de los ciegos, me ha tocado una gran cesta de la compra que deberé recoger mañana en el supermercado de S'Estanyol. Podría no ir a buscarla —en el fondo, qué vergüenza sentirme premiado como si fuera una vulgar ama de casa—, pero me va a ir muy bien toda esa comida gratis con la que no contaba. Además, me conviene mezclarme un poco con los asuntos mundanos y la realidad cotidiana. Me he dicho todo esto mientras me preparaba, en el silencio profundo de la noche, los bocadillos. Luego, cuando me he cansado de darle vueltas a ese asunto, he leído —algo tenía que hacer y mi tendencia a leer últimamente es ya casi enfermiza— lo primero que he visto en un periódico atrasado que estaba sobre la nevera. Y he leído —me digo que era un verso, pero los periódicos no publican poesía— que como una araña gigante llega la noche a todos los rincones de las ciudades. No me ha interesado saber quién podía haber dicho esto tan raro y menos en qué contexto o circunstancias había sido dicho, y ni tan siquiera me ha interesado averiguar si en realidad se trataba de un verso que se había infiltrado en la prensa cotidiana. Me he quedado, eso sí, pensando en esto largo rato; primero, meditando la frase en sí, y luego pensando en todas las ciudades que conocí en mi clausurada vida viajera y tan poco propensa a los premios de los supermercados. Y he pensado en todas esas ciudades que me dejaron convertido en un ser desencajado y solitario, y he pensado en ellas primero sentado en el taburete de la cocina y más tarde en el sofá del comedor, y luego en el frío suelo de mi cuarto mientras hojeaba distraídamente este dietario de mi desasosiego: el testimonio de que carezco de presente, de que apenas tengo vida, sólo de vez en cuando un premio en el supermercado o la alegría de que haya una familia mexicanizada —¿por mí?— en la terraza de al lado.

Mientras amanecía, he arreglado minuciosamente las plantas del jardín trasero de la casa. «Falta un cactus», me he dicho repetidas veces mientras desayunaba y escuchaba canciones de la radio, a la espera de que sonara un bolero y me trajera recuerdos sentimentales. No ha sonado ninguno y he tenido que bailarlo en mi imaginación mientras besaba, también en mi imaginación, a Rosita repetidas veces. Después de masturbarme, he salido a la terraza, he mirado cómo estaba el mar —algo movido, no sería extraño que lloviera—, y casi me he dado de bruces con Berta, con la niña Berta de verdad, que ha venido a espiarme, seguramente por indicación de sus padres; quería saber por qué siendo de día estaban encendidas todas las luces de la casa.

Un perro triste y famélico, un perro vagabundo, se ha detenido ante mi terraza y ha ladrado con insistencia.

—¿Qué es lo que te pasa? —me ha dicho la niña.

He sacudido la cabeza como quien despierta de un sueño.

—¿Lo dices por las luces? Olvidé apagarlas. Eso es todo. Y ahora, ¿por qué no vuelves con tus padres?

He pensado que me había oído, pero no era ni mucho menos así. Berta estaba mirando hacia otro lado, como si hubiera atrapado su atención un rumor lejano. Me he dicho que me gustan las niñitas, su gracia y suavidad, lo poco inocentes que son. Me gustan mucho las niñitas, dicho sea sin segundas intenciones.

—¿Es que no me has oído? —he preguntado.

—¿Dónde está el señor, que no lo veo? —me ha dicho ella.

Quizás sólo deseaba jugar, pero he tenido la impresión de que el maldito insomnio me había inyectado malicia en la sangre. Me he quedado preguntándome qué pasaría si ella supiera, por ejemplo, que yo bajé a la cueva de mí mismo y soy alguien a quien escribir sin culpa no le proporciona placer, y estoy muerto y me visita el fantasma que me ha condenado al insomnio. ¿Qué pensaría de todo eso? ¿Acaso diría que no entendía lo que le había dicho? Tal vez. Pero también podría ser que lo entendiera demasiado bien. Las niñitas no son nada inocentes, son las únicas que conocen por qué gira tan lenta la rueda del mundo.

—No me extraña que no me veas —le he dicho, asumiendo ya como cierta mi sospecha de que me he convertido en un alma en pena y puede que a veces hasta me vuelva invisible.

El perro ha dado un ladrido antipático y seco. Y la niña me ha fulminado con sus ojos verdes.

—¿Cuándo descansarás? —me ha dicho.

Y ha vuelto a ladrar el perro. El repugnante y famélico perro. El acompañante de los muertos, según egipcios y aztecas. El maldito perro que está a mis pies ahora, mientras escribo esto.

Un día, volvía Antonio de jugar con sus hijas en el parque cuando notó que en la calle todo el mundo le miraba con insistencia. Al llegar a casa y mirarse al espejo entendió lo que pasaba. En la frente, llevaba pegada una flecha de ventosa. Debió de preguntarse cómo no se había dado cuenta antes. ¿Tan desquiciado estaba por cuatro críticas contra su último libro y el sentimiento de que se estaba haciendo viejo? Debió de pensar que su desencajado rostro lo decía todo: había llegado al final, no podía continuar, le envolvía la locura y un deseo irrefrenable de dormir sin despertarse nunca. Aquella misma tarde, le pidió perdón a Marta y, retrocediendo hacia la ventana abierta de su despacho y mientras en la radio cantaban un gol, pronunció esa última y misteriosa frase que nos dejó para siempre intrigados —dijo: «Los viajes no curan el espíritu»— y se arrojó, tras un horrible grito de animal herido, al vacío.

Unas semanas antes, nada hacía prever una final así, ese gesto y ese grito exasperados. Estaba Antonio lleno de planes y proyectos de todo tipo, uno de ellos relacionado conmigo. Satisfecho de verme tan centrado y desde hacía tiempo tan exquisitamente volcado en la lectura, proyectaba montar una tienda en la que se venderían exclusivamente libros de viajes; el negocio llevaría nuestro apellido —un buen reclamo, pues Tenorio era sinónimo de escritor viajero— y lo dirigiría yo, que aportaría a los clientes mi amplia experiencia viajera. Si montaba la tienda era, según no se cansó Antonio de repetirme muchas veces, para ayudarme a rehacer mi vida, pues le daba apuro y mucha pena saber que de noche trabajaba de camarero gracias a la caridad cristiana de un amigo común que había sido nuestro director espiritual en el colegio y ahora regentaba una discoteca.

—He buscado trabajar en otras cosas —me excusaba siempre yo—, pero choco con el problema de estudios cuando no sucede eso tan desagradable de que me ven como a un pobre manco o como a una persona demasiado inexperta en el mundo del trabajo...

—¿Te das cuenta —me dijo Antonio un día— de que todas esas excusas que siempre me das para justificar que no encuentras trabajos recuerdan las excusas que se inventan ante sus padres los adolescentes que se proponen ser exclusivamente escritores?

—No, no había reparado para nada en eso. Pero en cualquier caso yo no soy un adolescente ni pretendo ser escritor. Y, sobre todo, tú no eres, que yo sepa, mi padre.

No, no lo era pero se comportaba muchas veces como si lo fuera. Yo, a causa de esto y de su excesivo complejo de superioridad sobre mí y por otros mil motivos, más bien siempre tuve tendencia a tenerle cierta manía. En los últimos tiempos, sin embargo, ese sentimiento, que rayaba casi en el odio, fue remitiendo bastante, muy posiblemente porque justo era reconocer que, aunque sólo fuera porque él sentía la absurda responsabilidad de ser mi hermano mayor, se preocupaba por mí y por que tuviera algo de dinero; se preocupaba por mí cuando ya nadie lo hacía. Y no estaba yo en condiciones de despreciar a la única persona del mundo que trataba de ayudarme.

Sólo dos semanas antes de que se convirtiera en el asesino de sí mismo, nada hacía prever ese grito y ese gesto exasperados, ese trágico final. Claro está que su carácter siempre había sido muy voluble —discretamente alegre aunque perturbado, en determinadas ocasiones, por las depresiones más hondas—, pero a esas oscilaciones de su humor estábamos todos más que habituados. Concretamente yo, me conocía a Antonio de memoria; creo que nadie en este mundo le conoció más a fondo y mejor. Mi hermano, el ser más sedentario y de vida más monótona que he visto en mi vida, el hombre de la pipa apagada y el batín de seda de papá, tenía la costumbre —todo en él eran costumbres— de mostrarse los lunes hiperactivo, como si el peor de los días laborables le diera una energía suplementaria; los martes se volvía muy cabezón, y era recomendable no discutir nada con él; los miércoles se mostraba familiar (con exageración) y los jueves muy generoso; los viernes un ser huraño, como si le aterrara ver acercarse el fin de semana; los sábados solía caer en depresiones de diferente hondura; para los domingos, siempre tan peligrosos para casi todo el mundo, tenía una estrategia infalible para escapar de la angustia: escuchar en la radio el «Carrusel Deportivo».

Quince días antes de su suicidio, un lunes, me llamó a su despacho y, tras un infame discurso paternalista, me mostró el contrato de alquiler de una tienda de la calle Rosellón donde pensaba montarme la librería de viajes. «Será un gran éxito», me repitió exultante varias veces, «pero no vamos a llamarla Tenorio sino El Espíritu del Viaje.»

El martes traté de cambiarle el nombre a la librería, y fue un empeño absolutamente inútil. Cabezón como nunca, se negó en redondo al cambio, y hasta me amenazó: «Recuerda que dependes económicamente de mí. Si yo un día te faltara, desaparecería la única garantía que tienes para tus precarias finanzas, ¿me entiendes?, harás lo que yo te diga, la tienda se llamará como yo crea que tiene que llamarse.»

El miércoles no quiso saber nada de mí y llevó su dedicación exhaustiva a la familia hasta tal extremo que, según me contó Marta, ni siquiera escribió una línea, lo cual no dejaba de ser alarmante porque parecía estar en relación con el profundo desánimo que le había llegado tras las primeras críticas —todas en contra— de su último libro, *Por el camino de Santiago*, muy mal recibido también por sus lectores, que lo vieron como un volumen oportunista en el que, además, a mi hermano se le había secado del todo la tinta de su imaginación, puesto que no hacía más que plagiarse, sin gracia y continuamente, a sí mismo.

Llegó el viernes. Y alguien más huraño —no el viernes, sino Antonio— no ha existido nunca. Se le había pedido que contribuyera con una frase a un volumen que celebraría el centenario de la muerte del poeta Foix, pero todo un día de trabajo no sirvió para que mi hermano produjera algo. Lloró. También el sábado lloró, sobre todo después de releer no sé cuántas veces —según me contó Marta— la crítica más feroz de cuantas había recibido su libro. Por la noche, fue visitado por un joven admirador que, sabiendo de la afición inmensa de Antonio por el ajedrez, deseaba tener el honor de jugar una partida con él. Antonio perdió tres veces seguidas con el admirador, lo que le dejó prácticamente mudo; sólo se le oyó musitar, con voz de desgarro: «Hoy he empezado a envejecer.»

En la mañana del domingo soñó que besaba el cuello de Marta y que acababa comiéndoselo sin que éste sangrara en ningún momento; se sintió tan asustado que, en la oscuridad, no pudo contener un gemido. Marta, que se despertó al instante, le preguntó qué le ocurría, y él respondió con una breve y lacónica frase: «Pienso en la vejez inminente.» Ella se rió e intentó consolarlo comentándole: «No pienses en cosas así ahora que todavía somos muy jóvenes...» Antonio le dijo que él había dejado de serlo y le pidió que le escuchara muy seriamente, le dijo: «Te voy a decir algo muy importante. Mira: a cierta edad lo primero que se pierde (y eso hace ya un tiempo que lo perdí) es la sensibilidad; basta con ver la tontería de libro que acabo de publicar. Luego, se pierde la imaginación. No sabes cómo la estoy echando en falta estos días para imaginarme cualquier cosa que me tranquilizara acerca del estado de envejecimiento en el que he entrado. Se pierden sensibilidad e imaginación, y lo único que a uno le queda es la inteligencia, que es un elemento destructivo: todo lo encuentra mal.»

Pasó el domingo encontrándolo todo muy mal y más pegado que de costumbre a la radio, y acabó el día con una sonrisa de relativa felicidad al saber que un solo punto separaba a su equipo favorito, el Real Club Deportivo Español, del ascenso a la primera división.

Al día siguiente, el lunes de esa semana trágica —trágica porque el domingo sería el testigo de su salto al vacío—, se mostró, como era su costumbre todos los lunes, hiperactivo y hasta me hizo acompañarle a una distribuidora de libros que iba a proveernos de los primeros volúmenes de historias de viajes. El martes, una nueva crítica feroz contra su libro le llevó a tomar la pluma para escribir una réplica en el periódico en el que se había sentido insultado. «Está mal visto —comenzaba diciendo— rebajarse para contestarle a un crítico, pero esta vez ha sido tan excesiva la injusticia que me veo obligado a escribirles para decirles que...» Llamó al director del periódico en cuanto acabó la carta y se la leyó diciéndole que, en breves instantes, iba a recibirla por fax. El director le dijo entonces que no se molestara pues no pensaba publicarla. Antonio preguntó por qué y supo que era por la sencilla razón de que en ese periódico no publicaban cartas contra ellos mismos. «¿Y no le da vergüenza actuar así?», preguntó Antonio. «No», se limitó a contestarle el director. Mi hermano llegó a la noche de ese martes más abatido que nunca.

El miércoles me aseguró que, jugando con sus hijas en el parque, se veía como si fuera el abuelo de ellas. El jueves, al perder de nuevo al ajedrez, se mostró generoso con su contrincante, y le regaló, dedicado como si fuera suyo, el libro de otro; fue el primer signo claro de que estaba realmente desquiciado y se sentía acabado como escritor y se veía ya viejo. El huraño de los viernes se transformó en el huraño mayor del mundo cuando, al llegar el viernes y tras teñirse, a primera hora de la mañana, el pelo, se pasó el día repitiéndome, sin piedad alguna —y sin que nosotros acertáramos a adivinar su terrible intención de fondo—, que pensaba muy pronto emprender su último viaje. «Será», decía en misteriosa frase, «un descenso en toda la regla, ya lo verás, un descenso como Dios manda.»

No sabíamos a qué podía estar refiriéndose, pero el sábado creímos adivinarlo cuando nos dijo que se proponía escribir un libro que se llamaría *El descenso* y que sería muy distinto de todos los que hasta entonces había escrito viajando alrededor de su cuarto; sería un libro que hablaría de nosotros, los Tenorio.

Yo siempre he pensado que en ningún momento se propuso escribirlo y que más bien era una maniobra de despiste de cara a nosotros mientras preparaba otro tipo de descenso, el que iba a llevarle a estrellar su cabeza contra el asfalto de Sant Gervasi. Lo cierto es que actuó Antonio como si realmente fuera a escribir ese libro y que llegó a anotar, por ejemplo, la cita de William Carlos Williams que debía abrir su historia sobre los Tenorio: «El descenso seduce / como sedujo el ascenso. / Nunca la derrota es sólo derrota pues / el mundo que abre es siempre un paraje / antes insospechado.»

Transcribió pulcramente la cita, como si se propusiera escribir el libro. Y hasta apuntó con lápiz la que debía ser la primera frase del mismo: «A lo largo de mi vida he vivido las cosas como si lo que me sucede le estuviera ocurriendo a otro, que soy y no soy yo.»

Fue —en el terreno llamémosle profesional— su última frase escrita. Como aficionado aún le quedó tiempo para escribir otras frases, unas líneas de despedida para Marta, dignas de un aficionado, de un aficionado a la Locura: «Me voy, cariño, porque noto que envejezco y no puedo soportarlo. Creo, además, que estoy acabado como escritor. Por otra parte, mi tendencia a las depresiones se ha acrecentado mucho últimamente. Y pienso que, de seguir viviendo, sólo sería un estorbo para ti y para las niñas: un viejo angustiado, encerrado en su despacho sin escribir una sola línea. Es mejor que me vaya. De seguir en este mundo lo haría, como me ha ocurrido en esta última semana, viviendo en el infierno. El lunes me clavaron a una rueda y giraba con el viento. El martes me extendieron sobre una cruz y me tiraron piedras. El miércoles fui un pez de escamas de color fucsia, y terminaron por clavarme en un espetón y me asaron a la brasa. El jueves me arrojaron a un barranco, como si fuera un perro. El viernes me despellejaron, me salaron en un mercado, y unos demonios me atiborraron de cobre y de plomo fundido. Ayer me arrojaron a un calabozo, donde el hedor era tan inmenso que el corazón me salía por la boca. Y hoy domingo sólo pienso en una certeza que me atormenta: la magia de la palabra, que nunca alcancé. Adiós, amor. Me voy porque vivo en el infierno y porque discrepo de esa idea, tan vulgar y tan socorrida, que habla de que lo más sensato que un hombre puede hacer en esta vida es aceptar que ha llegado la hora del descenso y dedicarse noblemente a envejecer. Mierda para los supuestos gestos nobles. Y adiós, amor. Sensatez ya no tengo.»

Esto dejó escrito en su despacho el domingo por la mañana. Poco después se fue al parque para jugar con sus hijas y volvió a casa con esa flecha de ventosa pegada en la frente. Traté de animarle. Le dije que era maravillosa toda su obra viajera y que, por ejemplo, nadie como él era capaz de hacer esos «retratos de momentos» en los que se había convertido en un maestro. Pero Antonio ya casi ni me escuchaba; parecía la niña Berta hace un rato, atendiendo sólo a un extraño rumor lejano. Por no escuchar, no atendía ni tan siquiera a las noticias constantes del «Carrusel Deportivo». Y en un momento determinado me dijo que le gustaría ser como Calígula, porque ese emperador estaba loco y era, además, muy simpático y se había comido a su propio hijo; luego rectificó y dijo que a quien realmente le gustaría parecerse era a mí, que, por otra parte, físicamente tanto me parecía a él; terminó diciendo que me tenía tanta estimación que hasta había escrito a unos amigos de México sugiriéndoles que, tras su suicidio, me invitaran a hablar de su personalidad y de su obra en Guadalajara, en el estado de Jalisco, en ese congreso al que le habían invitado aun sabiendo que él nunca viajaba.

—Irás tú por mí —me dijo—. Así podrás volver a viajar ahora que estás sin un duro y no puedes hacerlo. Irás tú por mí y hablarás del hombre que yo fui. Viajarás de nuevo, que es lo que siempre te ha gustado. Y así de paso me recordarás.

—¿Pero qué tonterías son éstas?

—Lo mismo me han preguntado en México. Pero cuando me haya matado, verán que hablaba en serio y estoy seguro de que tendrán el detalle de invitarte.

Se le veía muy mal, pero en momento alguno pensé que fuera a matarse o que hubiera escrito esa carta al congreso de Jalisco. Tal vez porque estaba convencido de que todo aquello era una broma de mal gusto, y aunque su depresión era innegable, decidí regresar a mi ático a terminar de leer esa novela de Canetti en la que arde una biblioteca. Fue precisamente mientras estaba leyendo ese episodio cuando vinieron a decirme que Antonio se había matado. Por la cara de Marta vi que aquello no era una nueva broma de mal gusto. Estaba claro que alguien seguía moviendo, después de dos años de dejarme tranquilo, los hilos de mi destino con un sentido del capricho muy intolerable. Había vuelto el infortunio a mi vida.

Recuerdo que fui yo quien cerró la ventana de su despacho por la que se había arrojado al vacío. Y también recuerdo que, al cerrarla, reparé en que la radio seguía encendida con su trepidante «Carrusel Deportivo». Y recuerdo también que, al ir a apagarla —la tragedia y el humor van siempre de la mano—, me enteré de que al descenso de Antonio había seguido, unos minutos después, el ascenso de su Español a la primera división. Y también recuerdo que poco después comenzaron a sonar nueve campanadas en ese reloj de pared que nuestra madre había comprado a un anticuario de Berga. Lo recuerdo todo muy bien, como si fuera ahora. Mientras con lentitud iban sonando esas campanadas de muerte, yo me decía que lo más terrible de todo —aparte del dolor por la pérdida de mi ilustre hermano— era haberme quedado sin aquella librería de guías de viaje que habría podido permitirme —para qué engañarme si la verdad es que siempre he pensado ante todo en mí mismo— un mínimo desahogo económico. Recuerdo muy bien cómo me sentía, pero sobre todo recuerdo lo que pensaba: «Creía que Dios me había olvidado, pero veo que sigue empeñado en joderme a base de bien.» Eso pensaba yo mientras cerraba con fuerza mi único puño y, una tras otra, lentamente iban sonando aquellas campanadas que, más lúgubres que si fueran flechas de ventosa clavándose en mi frente, se iban estrellando en mi abatido cerebro de hermano en duelo, en ese taladrado cerebro mío que iba a pasar el resto del domingo siendo sólo capaz de oír al Tiempo caer, gota a gota, y sin que ninguna de las gotas que caían las oyera caer.

Me parece que este dietario es el libro de la soledad. Y me pregunto si en realidad su tema no será, casi exclusivamente,

Rosita. Porque desde que empezara a escribir mis recuerdos de joven viejo y acabado, no he parado de pensar en ella. Ahora mismo lo estoy haciendo. La veo descender por una escalera granate, en Beranda, bajo la luz intensa del Caribe: mulata color de miel, con ojos verdes y pañoleta dorada en la cabeza. Cada vez que la recuerdo a ella y el color del Caribe, mi memoria paradójicamente se inunda de brumas, de lluvias tenues y vientos fríos, como si mi nostalgia fuera una fina gama de grises y verdes melancólicos. Es paradójico, pero ya estoy más que acostumbrado. Tal vez por eso no me ha sorprendido nada que, hace unos instantes, justo cuando ha empezado a llover sobre S'Estanyol, la haya recordado a ella. Llueve sobre el mar y sobre el pueblo, y yo escucho caer la lluvia lentamente y me acuerdo también de otra mujer y de otras lluvias, y recuerdo aquellos días de aguacero trágico al pie del volcán Tolima. Llueve, y de pronto me pregunto qué pasaría si una mano fría me apretara la garganta y no me dejara respirar el aire de la vida. Y luego me digo que es absurda la pregunta, pues en realidad eso precisamente es lo que me está ocurriendo, y bien que lo nota y que lo sabe mi garganta. Para distraerme de esta angustia que me cerca y que me asfixia, me dedico a pensar en otras cosas, me dedico a pensar en el Tiempo: aquel que caía, gota a gota y en silencio, cuando murió Antonio. Pienso en el Tiempo y recuerdo el caso de aquel hombre que cuando no se le pedía que lo definiera, sabía perfectamente lo que era el Tiempo, pero cuando se le pedía que hablara de él, ya no sabía nada. Mi caso es exactamente el mismo.

Yo, tan metafísico, yendo a buscar esta mañana la gran cesta de la compra, obsequio del supermercado. Con mi improvisado gorro de plástico atado al cuello y andando como un sonámbulo bajo la lluvia, y con el maldito perro tras mis pasos. Me he sentido tan mal y tan angustiado como en los días que siguieron al suicidio de Antonio y no podía entender por qué el infortunio se cebaba en mí de aquella forma tan cruel y arbitraria. «Somos quien no somos, y la vida es veloz y triste», me iba diciendo mientras caminaba por el Paseo del Mar, avanzando sin prisas con mi grotesco gorro de plástico y el maldito perro. Me he dicho de pronto que, en cada gota de lluvia, mi vida fracasada estaba bien dibujada y como llorando en la naturaleza. Había algo de mi soledad y de mi dolor en ese goteo, y también algo así como una desesperación de mi mala conciencia por lo de Veracruz y una angustia de existir desde entonces tan atado a mí mismo y tan atado, además, a los recuerdos de una vida inmoral y sin alegría alguna.

Yo, tan metafísico, camino del supermercado, yendo a buscar la cesta de la compra, pensando en que el propio vivir es morir. Yo, en el supermercado, mostrando mi boleto y recibiendo entre sonrisas y felicitaciones mi premio. Yo, poco después, confesando a un ama de casa y a dos empleadas lo satisfecho que me sentía por mi suerte.

Y luego, el penoso trance del lento regreso, arrastrando con mi única mano, bajo la lluvia, ese carro de la compra tan monumental, repleto de lejías, galletas, zumos, empanadas y botellas, latas de almejas y panecillos, embutidos y no sé cuántas alegrías más. Bajo la lluvia y con la clara impresión de que todo el mundo me envidiaba. Todos preguntándose quién sería ese hombre tan feliz y afortunado, ese hombre de paso lento y perro fiel. Así es la vida. Todo lo que vemos o pensamos está siempre equivocado.

Me levanto de la silla en donde, apoyado distraídamente en la mesa, me he entretenido en describir mi prosaico paseo de esta mañana bajo la lluvia arrastrando un carrito y la maldición del perro. Me levanto y voy a la ventana a ver cómo llueve, y me digo que, en el fondo, las desgracias de las novelas son siempre bellas porque en ellas no corre sangre auténtica. No es el caso de esta novela que escribo para mí mismo, porque en ella la sangre es de verdad. ¿No es esto entonces una novela? No. No es una novela, es mi vida. Y como ahora veo que mi vida no es una novela, creo que debo llegar a la conclusión de que mi vida es tan sólo uno de esos paisajes inútiles que se ven en las tazas de porcelana china. Toda una verdadera tragedia. Pero ya dijo Heine que después de las grandes tragedias acabamos siempre por sonarnos la nariz. Eso es lo que ahora voy a hacer, y que el ruido de mis mocos interrumpa por unos segundos al de esta lluvia que, en su arrogancia, estoy seguro de que ha llegado a pensar que podría entrar en mi novela. Pues no. Porque esto no es una novela. Y ahora voy a sonarme la nariz.

Solo y dolido en Barcelona a la muerte de mi hermano, comencé a oír voces en mi ático, y entré en un período de tal depresión que tuve que dejar el trabajo de camarero en la discoteca. Entre tanta voz en la sombra tratando de orientarme en la vida, llegó un día en que me pareció que los distinguidos huéspedes de mi librería se dedicaban a observarme con una ceja alzada y a recomendarme que, dado mi estado de locura por la muerte de mi hermano —el último infortunio de esa cadena de continuas desgracias que era mi vida—, abandonara cuanto antes tanta soledad y tanto duelo y viajara. En mi delirio llegué a pensar que el único huésped de mi librería que se oponía a que viajara era el señor Daniel Defoe, que, desde el centro neurálgico de su *Robinsón*, me decía que ni un viaje podía remediar mi desconsuelo y que lo mejor que podía hacer era mirar al cielo alto y claro, donde podría ver los días de mi vida, idénticos a nubes, convertidos en la cosa más alada y lejana del mundo.

Hubo una llamada telefónica, luego un telegrama, más tarde una carta, otro telegrama, y la invitación al congreso de Guadalajara me salvó de la locura definitiva. Viajé a México, rendí homenaje a los libros viajeros de mi hermano Antonio, don Antonio Tenorio, y cuando ya todo hubo terminado regresé a Ciudad de México en un tren cargado de botellas de tequila y, dejando atrás el bullicio de Jalisco, reí y bebí como nunca lo había hecho en mi vida, y canté y hasta disparé —me acordé de la última vez que lo había hecho, en Dahomey— al aire siempre sereno de la mañanita mexicana, y fui tan feliz durante el viaje que, al llegar a mi hotel en el Zócalo de la Ciudad de México, sentí que era muy doloroso tener que volver a la terrible España, donde después de todo no me esperaba nada ni nadie. Lo sentí así, sobre todo la mañana en que desperté con resaca en el Hotel Majestic golpeado por una voz misteriosa que me conminaba tanto a escribir un relato que debía llamarse *Es que soy de Veracruz* —mañana viernes precisamente hará una semana que por fin, aquí en S'Estanyol, lo escribí—, como a quedarme unos días más en México.

En un bar llamado El Farolito, muy cerca del Majestic, alguien me habló con entusiasmo del ambiente de la ciudad de Xalapa, y recordé de pronto que allí me habían dicho que residía un buen amigo de mi hermano Antonio, el escritor Sergio Pitol, que había vivido unos años en Barcelona y que tal vez, debido a las simpatías que siempre despertó en él mi hermano, estaría dispuesto a recibirme.

En Xalapa encontré a ese amigo de mi hermano afectado por la muerte de Antonio, pero feliz al mismo tiempo por el curso de su vida personal, feliz de estar dando los últimos retoques a su casa nueva, a su vida nueva en Xalapa, lejos de Ciudad de México, donde había vivido incómodo, instalado por fin en la lluviosa Xalapa, muy cerca de sus orígenes, cerca de su familia y del lugar en el que había nacido y que abandonó muy joven para dar muchas veces la vuelta al mundo. Al igual que yo, había sido —él lo seguía siendo— un gran aficionado a los viajes.

—Pero uno sabe que, tarde o temprano, tiene que volver —me dijo—. Me acuerdo ahora de Pessoa, que decía que cualquier ocaso es el ocaso y que no era necesario ir a Constantinopla. No sé que pensarás tú de esto...

Pensé que me ponía a prueba y por suerte vino en mi auxilio una frase de Carlyle que acababa de leer. No sabía si tenía algo que ver con lo que había dicho, pero en cualquier caso, tratando de quedar bien, la saqué a colación.

—Carlyle opina que cualquier carretera —dije—, hasta la carretera esa de Entepfuhl, te lleva hasta el fin del mundo. Pero también dice que la carretera de Entepfuhl, si se la sigue toda, hasta el final, vuelve a Entepfuhl. De modo que Entepfuhl, donde ya estábamos, es ese mismo fin del mundo que íbamos a buscar.

—Entepfuhl —dijo—. Qué palabra más rara has buscado.

—Sí, lo es, pero no es mía, es de Carlyle —dije—. Pero es cierto. Algo rara sí que es.

—Todo es muy raro.

—¿Qué quieres decir?

Se quedó pensativo, luego dijo:

—No lo sé. ¿Ves como todo es muy raro? Ni siquiera ahora sé por qué te he dicho que todo era muy raro.

—A mí lo que, por ejemplo, no me parece nada raro es que te hayas pasado la mitad de tu vida fuera de México. Yo también he tenido una gran afición al viaje, y sé lo que significa estar lejos de las pequeñas miserias de la vida cotidiana de tu país.

—No sé exactamente por qué me marché, pero lo cierto es que muy joven salí de mi país pensando que el viaje duraría unos meses y, sin embargo, duró treinta años. Recuerdo que durante todo ese tiempo muchas veces sentí verdaderos escalofríos cada vez que pensaba en el regreso a mi país, lo que ya sabía yo que tenía que ocurrir, quisiéralo o no, tarde o temprano. Pero el viaje, como te digo, duró treinta años, interrumpido sólo por dos estancias breves en México y algún que otro período de vacaciones. Pero finalmente sucedió lo que tenía que suceder. Y volví.

—Volver —dije con cierta ridícula solemnidad—. En realidad la gente viaja, y creo que ése ha sido mi caso, creyendo que va a alguna parte, pero en realidad nada hay más ilusorio que viajar. ¿No te parece? El más sabio y feliz de los viajeros fue el que supo advertir que, si bien nunca se llegaba, sí que era, en cambio, posible algo mejor: volver.

—Ignoro de dónde has sacado esa idea, pero la encuentro demasiado literaria. En realidad, tú sabes perfectamente que viajando se llega a muchas partes.

—Bueno, creo que tienes razón. ¿Pero sabes lo que me pasa? Lo que sucede es que últimamente le he cogido cierta manía a los viajes porque sólo me han traído complicaciones y desgracias. Me dejaron, por ejemplo, sin brazo, sin esposa, sin amante, sin hermanos, sin dignidad, y yo qué sé cuántas cosas más. Y, además, los viajes y la vida están seriamente reñidos con la literatura, que es lo que ahora más me gusta.

—También ahí puede que andes equivocado. Yo, por ejemplo, me he pasado la vida haciendo dos cosas, perfectamente compatibles a mi modo de ver: viajar y escribir. No veo, pues, el problema. Entiendo que tal vez el ejemplo de Antonio te confunda, pero lo suyo fue tan sólo una tozudez, unas ganas absurdas de exhibir lo sobrado que andaba de imaginación, ganas de decir: Mirad lo guapo que soy, nunca he viajado y, sin embargo, soy capaz de imaginarme todos los países simplemente viajando alrededor de mi cuarto.

—En todo caso, lo más excitante para mí —volví al tono solemne—, lo que realmente más me atrae y apasiona, es el regreso. Eso es lo que más me gusta de los viajes.

(Todavía hoy sigo sin comprender por qué me engañé tanto a mí mismo y le mentí a Pitol. Volver ha sido siempre, para mí, una verdadera tragedia. Basta recordar lo penosos que fueron siempre mis regresos a casa oyendo siempre las campanadas trágicas del reloj de pared de Berga. Volver ha

215

sido siempre horroroso para mí. Hoy mismo, mi regreso bajo la lluvia con el carrito no ha podido ser más lamentable.)

—Salgamos a cenar —me dijo Pitol—. Te invito mañana a ir en mi coche a Veracruz. Espero —sonrió— que te guste Veracruz, pero que para ti lo más excitante sea el regreso.

Entonces fue cuando le conté lo de la voz misteriosa que en el Majestic me había ordenado escribir *Es que soy de Veracruz*.

Volvió a sonreír, dijo:

—Yo sí que soy de Veracruz, y también tu hermano lo era. Pero tú, amigo, eres, que yo sepa, de Barcelona.

—Barcelona —musité—. Te diré la verdad: a esa ciudad no me muero yo por volver.

—Volver —dijo Pitol mientras cenábamos— comporta siempre ver lo que sigue igual y ver también lo que ha cambiado. Yo volví a un México muy diferente del que había abandonado. Es cierto que algunas cosas han mejorado en mi país, pero la imagen que más profundamente enraizó en mí fue la devastación. Encontré una Ciudad de México desconocida, un paisaje degradado, un cielo inexistente. En Coyoacán, en la plaza de la Conchita, donde me compré una casa, vi caer palomas como frutos podridos, envenenadas por los ácidos que emponzoñan el aire. Y en la plaza central del mismo Coyoacán contemplé imágenes que me devolvieron a mis años de niñez, yacentes durante medio siglo, en alguno de los pozos más profundos de la memoria. Vi a las mismas indígenas escuálidas y harapientas que en mi infancia llegaban a los ranchos cafetaleros en la época de cosecha, las mismas que, en los ratos de descanso, arrodilladas al lado del marido o de una de sus crías, les escarmenaban la cabeza con ademanes furtivos y graciosos. Me parecía volver a oír el chasquido de los piojos al ser aplastados por las uñas de los dedos pulgares. Las indígenas de mi infancia hablaban popolaca o mixe, las de Coyoacán, posiblemente otomí. En vez de cortar café vendían tejidos pobremente ejecutados. Tuve la sensación, al volver a México, de que poco o nada había cambiado.

Fue un monólogo que, tal vez por lo bien que hablaba Pitol —no estaba yo demasiado habituado a los buenos narradores orales—, atrajo mi atención como nunca lo había hecho un monólogo antes. Tanta fue la impresión que despertaron en mí sus palabras que, de haber quedado impune el crimen, habría disparado sobre el pianista, habría allí mismo matado a aquel hombre sentimental que, aporreando desaforadamente las teclas del piano del restaurante, parecía empeñado en boicotear la magia de las palabras de Pitol.

A la mañana siguiente, dejando atrás las lluviosas colinas de Xalapa y por una hermosa carretera de cafetales, fuimos Pitol y yo al puerto de Veracruz. Antes pasamos por Antigua, lugar cercano a esa ciudad, el sitio donde Hernán Cortés mandó edificar su primer fortín y donde quemó —en realidad las barrenó— las naves. La belleza extrema de Antigua prácticamente me quitó el habla. Por el fortín en ruinas y, como si de una venganza de Moctezuma se tratara, trepan hoy como enredaderas sobre las restos de la fortaleza las poderosas raíces de los árboles milenarios de la zona. Recuerdo que, viéndome tan impresionado ante la visión de todo aquello, Pitol me preguntó si podía imaginarme, por un momento, lo que debieron de sentir Cortés y sus hombres al desembarcar en aquel lugar de tan rara belleza, con aquella exuberante vegetación y los imponentes árboles gigantescos, viendo pájaros que hablaban y perros sonámbulos que no ladraban.

—Les imagino —dije— avanzando con profundo estupor. Y, encima, con las naves barrenadas.

No dije nada más, porque andaba medio mudo por la emoción. Allí, en la Antigua Villa Rica de la Vera Cruz, fundada por Cortés, sentí que el mundo era más grande y más raro de lo que pensaba. Sentí, además, que mundos sin forma pasaban por mí. Me dije que en la vida todo era mucho y muy hondo y que, al mismo tiempo, todo era negro y muy frío. Sentimientos encontrados invadían mi mente confusa, y hasta llegué a ver claros de luna en la noche más azteca del universo, y vi también a mis pobres padres, niños todavía, desembarcando tristes en el puerto de Veracruz al final de nuestra Guerra Civil. Me sentía sobrecogido y, durante un buen rato, estuve mudo, espiado por la mirada divertida de Pitol.

Anduve un buen rato mudo mientras me decía que toda aquella luminosidad tropical como mínimo debería acariciarme con ternura: acariciar a quien como yo estaba perdido y ya nunca más sabría quién era. Había un contraste excesivo entre aquella vida exterior que rebosaba de luz y lo que yo —negro, frío y español— sentía y pensaba, sin saber ya sentir ni pensar, como un maldito soldado de Cortés. Y tal era mi estado de ruinoso hombre con apellido de conquistador y tal mi extrema inquietud y confusión que pedí marchar de allí, dejar atrás la antigua Villa Rica de la Vera Cruz. No se hable más, dijo Pitol, en referencia irónica a mi prolongado silencio, sólo roto a última hora por una petición de auxilio. Y emprendimos el camino del puerto.

Recuerdo que había verdadera magia en un ambiente loco de marimbas y gran frenesí de humo de puro habano cuando cruzamos lentamente el Zócalo y nos sentamos en La Parroquia, en Los Portales, en uno de los bares donde se sienta todo el mundo en Veracruz, y allí bebimos varios cóctels endiablados mientras se sucedían, una tras otra, bandas musicales que acabaron por cantarnos las obras completas de don Agustín Lara. Cuando tan excelso repertorio se agotó, Pitol marchó un momento para reservar dos cuartos en un hotel que conocía. Mientras aguardaba su regreso, se me acercó una mujer que arrastraba una gigantesca arpa, tensando las cuerdas como si del ritmo de la lluvia se tratara mientras cantaba a una velocidad sorprendente *La Bamba*. Bamba, la bamba, la bamba. No creo que haya arpista más veloz en el mundo. Todo zumbaba en ella, y el murmullo de su voz adquiría, a veces, tono de flauta, y esa flauta, que era una voz, tenía el sonido mismo del agua.

Asombrado y aún nada repuesto de tanta velocidad, vi cómo un enano, agitando una campanilla de bronce, se me acercaba para cantarme, en un inglés macarrónico, *María bonita*. Se añadió entonces otro loco a la fiesta. Con un bucle horizontal sobre la frente enrollado y con un vozarrón comatoso, vino el hombre a decirme al oído, con escupitajo incluido: «Y me muero por volver.»

Llegó Pitol con el asunto del hotel resuelto, y yo —tal vez porque ya se había hecho de noche— le hablé como en un sueño y le dije que sentía que aquel momento era único, que era feliz allí en Los Portales, que tenía la impresión de por fin comenzar a formar parte del mundo. Pitol me miró, creo que algo incrédulo. Ya era hora, pensaba yo. No todo en mi vida tenían por qué ser infortunios y malas jugadas del destino. Por complicados caminos de palabras, intenté comunicarle a Pitol lo maravillosa que de repente me parecía la vida.

—¿Y qué le encuentras? —me preguntó.

—¿A qué?

—A la vida.

Me dejó callado, no supe en verdad qué contestarle, hasta me ruboricé. Durante algo más de una hora estuvimos en Los Portales bebiendo y escuchando canciones. Hasta que Pitol dijo que se retiraba al hotel a leer. Recuerdo que, a nuestro lado, dos hombres con aspectos de caciques, tocados con sombreros rancheros, bebían tequila lentamente mientras escuchaban con atención el amplio repertorio de música sentimental de una nueva banda que había hecho su aparición en La Parroquia.

—Parecen —le comenté a Pitol— inmersos en viejos y entrañables recuerdos de su pasado.

Pitol se rió de golpe, acompañándose luego de una sonrisa lenta.

—Seguro —dijo—. Están pensando en todas las mujeres que amaron y que siguen amando y a las que, un día, no les quedó otro remedio que mandar asesinar. Son unos grandes sentimentales.

Pitol se levantó y dijo que hasta luego, que tenía ganas de terminar de leer una novela que le apasionaba.

—Hasta luego —le dije.

Pedí un tequila añejo al camarero.

—Hasta luego —dijo Pitol—. Pero recuerda que soy de Veracruz y sé muy bien cómo las gastan por aquí. No bebas de más. Cuídate mucho. Y sobre todo recuerda que en el reino animal la cola es tanto más larga cuanto más astuto es el animal.

—¿Qué quieres decir? —pregunté.

Se rió y se fue.

Me dije que los inteligentes —y ése era el caso de Pitol— tienen la risa rápida y la sonrisa lenta. Es como si la lentitud de la inteligencia volviera la risa larga y la sonrisa corta. Eso me estaba comentando a mí mismo cuando de pronto, como si me hubieran golpeado en la frente con un martillo, entró en mis pensamientos, de forma tan misteriosa como violenta, el recuerdo, sumamente desagradable, de las repugnantes legañas que arrastraba siempre consigo el chulo de Badajoz.

Pensé: «Horror de los horrores. ¿Qué raro mecanismo me vuelca de repente ese recuerdo tan nítido de unas legañas que en realidad deberían estar enterradas y más que enterradas en la región más olvidada de mi memoria?»

Estaba diciéndome esto cuando de pronto vi pasar a una delgada y muy estilizada rubia platino colgada del brazo de un hombre de traje blanco que iba tocado con un sombrero panamá. Andaba esa pareja de un modo algo raro, pues si bien parecía que tuvieran mucha prisa, de vez en cuando detenían de forma casi exagerada sus veloces pasos y se miraban a los ojos y poco después —como si les animara una fuerza exterior a ellos— reanudaban de golpe el ritmo veloz de sus pasos y de su enigmática prisa.

Me acuerdo muy bien de aquella rubia platino. En ella caderas y senos no podían estar más ligados entre sí. Me acuerdo muy bien. Si había movimientos plenos en las caderas, había también gestos completos de los senos, pero si sus caderas se mostraban indecisas —cada vez que frenaba para mirarle a él a los ojos—, entonces vacilaban sus senos, y uno se quedaba con la idea de que cuando había gran revolución en las caderas —que la había, y mucha, cuando aceleraba frenéticamente el paso—, sus pechos ametrallaban el espacio.

Y a su lado el hombre de traje blanco y sombrero panamá. Más parecido imposible al chulo de Badajoz. Me quedé de piedra, me pregunté cómo podía ser aquello posible. «Ahora», me dije, «no tengo más remedio que admitirlo, las premoniciones existen. Yo acabo de experimentar una. Porque este tipo es el chulo de Badajoz. Sí. Las premoniciones existen. Piensas en una persona o en las legañas de esa persona y de pronto, por muy raro que parezca, esa persona y esas legañas aparecen frente a ti...»

Me levanté de aquella silla con tanto ímpetu que derribé mi tercer vaso de tequila añejo. Me planté, casi de un salto, de golpe, ante la pareja. Y aún recuerdo con rubor la cara de sorpresa del pobre ciudadano anónimo tocado con un panamá, ligeramente inquieto al ver a un borracho que le miraba fijamente y mostraba un desmesurado interés por él.

No, no era el chulo de Badajoz. Al chulo le había visto en Montecarlo y en Beranda, dos lugares tan distintos como distantes, pero no por eso al chulo tenía que encontrármelo, como si fuera Dios, en todas partes.

—¡Hay que ver lo que bebe la gente aquí! —dijo la rubia platino, sin duda horrorizada, mientras yo emprendía, con cierta vergüenza, mi retirada, mi renqueante regreso a aquella mesa de La Parroquia que, por el tiempo que llevaba en ella, ya parecía de mi propiedad.

Pedí un cuarto tequila y me excusé ante el camarero.

—Me confundí —le dije—. Creí haber visto a un viejo conocido.

El camarero me dirigió una mirada extraña, una mirada que me pareció la luz de un faro que navegara. Que yo viera este tipo de cosas en las miradas de los demás demuestra lo borracho que andaba. En cualquier caso, los ojos del camarero me dejaron aterrado. No me asustó en cambio la voz que me llegó de la mesa de al lado:

—¡Oye, gringo! Te va a dar un consejo el Buitre Zopilote. Harías bien en comer algo.

Decidí no hacerle el más mínimo caso a aquel intruso y, poco después, pedí un quinto tequila y brindé a solas, sin saber por quién brindaba, hasta que de pronto decidí que lo haría por todos los frutos jugosos que había visto expuestos en el Zócalo. No sabía si lamentar el no haber vuelto al hotel, porque me parecía que estaba más borracho de lo que deseaba. Poco después, brindaba por la falda roja de una mujer que pasó rozando mi mesa. En mi creciente euforia, recuerdo que llegué a pensar que estaba tan lleno de poderío que, como si fuera ya nada menos que el mismísimo Viento, podía, en el caso de así quererlo, levantar con mi imaginación aquella falda y verle las bragas que escondía y que estaba convencido de que olían a mango y albaricoque. Pero ni se levantó la falda, ni el Viento era precisamente yo, ni me llegó el perfume a fruta pensado, ni nada de nada, y entonces —supongo que ya muy borracho y súbitamente desesperado— pedí mezcal.

—Escucha, gringo. Te vuelve a hablar el Buitre Zopilote. ¿Por qué no me haces caso y comes algo? Cualquier cosa, nomás.

Me volví y vi que a mi lado no había nadie. Aquella voz, que me daba buenos consejos, salía de mí mismo. Me tomé el mezcal de golpe y llamé de nuevo al camarero. Mirándole directamente a los ojos para intimidarle, mirándole a sus ojos de faro que navegara, le dije que trajera otro mezcal y también la carta de comidas. «El Buitre Zopilote», le expliqué, «me ordena comer algo.» Con cara de resignación me entregó la carta. Si la memoria no me falla, creo que pedí camarones enmolados, al mojo de ajo, en chiloso caldo, guisados con arroz. Comer eso me hizo bien, me tranquilizó algo. Pero al poco rato volví a la carga con el mezcal, y reapareció el Buitre Zopilote, de nuevo con sus buenas intenciones: «Váyase al hotel si no quiere conocer el infierno.»

Poco después de oír estas palabras de mi buena alma consejera, sucedió algo que en la vida olvidaré. Antes de contármelo a mí mismo, no estará de más que, a modo de prólogo, inserte aquí cierto comentario que hace poco leí en un libro científico y que decía, o venía a decir —eso al menos es lo que me pareció—, que es muy probable que la percepción inyecte información en un rincón del cerebro y que éste la archive, sin albarán de entrada y saltándose la conciencia, y que sólo después, quizá muy poco después —como me ocurrió esa noche a mí en Veracruz—, tal información aterrice, algo velada y totalmente distorsionada respecto al tiempo, en la conciencia. Y que aterrice como aterrizó el chulo de Badajoz en La Parroquia y, ya no digamos, en mi conciencia.

Estoy hablando de esa intensa y no poco frecuente sensación de vivir una situación *ya vivida* con anterioridad. A todo el mundo le ha pasado alguna vez. Comentando el tema esta mañana —aunque omitiendo, por supuesto, lo de Veracruz— con el dentista de Felanitx me ha dicho el hombre, con buen criterio, que posiblemente esa experiencia previa, esa situación que creemos ya vivida, seguramente existe, pero también es muy posible que esa anterioridad no se remonte a la infancia ni a una vida anterior, sino a pocos segundos o minutos antes.

Eso es lo que creo que me debió de pasar en La Parroquia cuando —en la vida lo olvidaré—, unos minutos después de ver alejarse la silueta del otro, la silueta del falso chulo de Badajoz, vi al chulo de Badajoz de verdad. Parece mentira pero fue así. Le vi entrar tan tranquilo en La Parroquia, en mi propio bar, colgado del brazo de una negra que hablaba por los codos mientras él se reía bobamente, con aquella risita pretendidamente cínica y tan estúpida, y se acariciaba el bigote para darse más importancia.

Una banda cantaba en ese momento, como si quisieran musicarme la aparición sorprendente del chulo y encima recordarme a Rosita: «Negrita de mis pesares, ojos de papel volando, a todos diles que sí, pero no les digas cuándo.»

—Tenías toda la razón —me dijo el buen Buitre Zopilote—. Las premoniciones existen. Ahí tienes al gallito extremeño. El pobre galán se cree Dios.

Oí durante unos instantes al galán —no lo veía, estaba a mi espalda, lejos de mi campo visual— reírse como el verdadero cretino que era, y muy poco después —debieron de entrar para comprar tabaco o droga— le vi salir disparado con la negra, a paso casi ligero, en dirección al Zócalo, como si escaparan de algún peligro inminente. Me dije que debía averiguar si era aquello una pura alucinación del mezcal o era todo absolutamente verdadero. La aparición del chulo había sido tan fulgurante que era necesario que me cerciorara de que era completamente cierto que acababa de verle. De modo que pagué la cuenta a toda velocidad y salí en persecución de la pareja. Me llevaban bastantes metros de ventaja y yo andaba casi corriendo tras ellos cuando les vi entrar en un taxi. Había otro taxi en la parada y mi error fue casi asaltarlo, sin pretenderlo, golpeándome, además, con la puerta mientras como en las películas, pero demasiado excitado, le decía al conductor: «Siga a ese taxi.»

El conductor se volvió lentamente y me dijo que no llevaba a borrachos y que me bajara inmediatamente de su auto. En la tremebunda discusión que siguió terminé con un ojo morado y a punto de ser linchado por dos taxistas que, en cuanto llegaron a la parada, se incorporaron, con asombrosa naturalidad, a la pelea. «Vete al infierno, gachupín», fue lo último que me dijo el taxista más agresivo de los tres, amenazando con su puño mi ojo sano. Lo que menos podía yo imaginar era que El Infierno existía, era simplemente la taberna donde se congregaban los máximos borrachos de Veracruz y que, además, no iba a tardar nada en entrar en ella. Había que tener —ésa es la verdad— cierto valor o ir muy cargado de mezcal para entrar en aquel local.

—Disculpe la banalidad de la frase, pero yo diría que nos conocemos de algo —me dijo un hombre de patillas picudas, completamente vestido de negro, con sombrero de ala muy ancha, también negro, y mirada terrorífica, ojos con aspecto de haber ingerido peyote, bigote daliniano a lo Willy DeVille. Ya digo, terrorífico, el arquetipo clásico del malvado.

Se empeñó no sólo en que bebiera con él sino también en colgarme de la chaqueta, con un alfiler rojo, un medallón de la Virgen de Guadalupe, pues estaba convencido de que yo era Jesucristo.

Comencé a preguntarme qué haría para salir de allí.

—Saldrás si bebes más mezcal y reconoces que el tono de las cosas es pura gaseosa, esperma batido —me sopló al oído el buen Buitre Zopilote.

No me pareció un buen consejo y, además, su voz parecía repentinamente cambiada, pervertida de súbito, inclinándose peligrosamente del lado del Mal, esperma batido, como si tuviera ganas de que perdiera yo la confianza en él.

—Siempre —dijo volviendo a su voz original y recobrando mi confianza— estuvieron muy relacionados la inmundicia y el ángel. Y ahora escucha: saldrás de aquí si no te pones nervioso y, sobre todo, si no te conviertes en un rajadito, en un muerto de miedo. ¿Me comprendes? Muéstrate arrogante ante ese ridículo hombre vestido de negro. Pregúntale directamente dónde está la puerta de salida.

Seguí su consejo, pregunté por qué puerta se alcanzaba antes la calle.

—¿Qué calle, mi gachupín? —preguntó el malvado.

—Pues la que huela más a tu sobaco —le respondí con gran coraje—. La calle que me permita huir de toda esta miseria, de esta degradación, del horror, de tu alcohol y de las calaveras y del Día de los Muertos y del espanto de que la necedad sodomice a la inteligencia.

El malvado se quedó extasiado, supongo que nunca había oído hablar de aquella forma. Me tendió la mano, quiso ser él también original, dijo:

—Lo cortés no quita lo Cuauhtémoc. Mis respetos, amigo.

...1 nombre es Alvarado. Ahí está la puerta. Salgamos. Así me gusta. Español sin saliva ni sífilis.

Salí del local. Pero eso sí: por Alvarado condecorado. Y en su compañía y con la cruz de tener que seguir sus consejos. Mi buen Buitre Zopilote, para mis desgracias, se había quedado congelado, completamente mudo, tal vez aterrado.

Nos dirigimos a un local de muy mala reputación, La Sepultura, donde bebimos pulque y mucho Anís del Mono y donde encontramos a dos gemelas espantosas. Todavía hoy no entiendo por qué viendo tanto horror me entraron ganas de fornicar. A Alvarado le sucedió lo mismo. Dos mujeres que eran, como suele decirse, como dos gotas de agua, y yo añadiría que con nuestro esperma ya batido de antemano: asmáticas, groseramente pintadas, gárrulas, con olor a ajo y cara de asco y un acento nasal indecente, trenzas espesas y lazo azul, bigote negro sobre los labios carmesí. Dos monstruos. Cuando en un apartado de luces rojas las dejamos jodidas alcanzamos, con cara de anís y vomitona, la desierta calle. «Cristo, qué asco», comentó Alvarado. Nos encaminamos a un bar llamado Pasión, que a Alvarado le traía recuerdos tristes, los de una novia que le traicionó. Yo me sentía ya muy bebido. El buen Buitre, como si despertara de un sueño profundo, reapareció y dijo: «¿Te acuerdas de mí?» Una pregunta boba, ingenua, innecesaria. Se había vuelto torpe mi voz interior, ya no me protegía. Dormir había mermado sus facultades. «¿Te acuerdas de mí?», me repitió el Buitre, tonto e irritado, con voz pastosa y de disco rayado. «Pues claro que me acuerdo de ti», me sentí obligado a decirle. Alvarado creyó que hablaba con él. «¿De quién te acuerdas tú? ¿No será de mi Marilú?», me preguntó. Callé. El nombre de Marilú también a mí me traía recuerdos tristes. «¿Te acuerdas de mí?», insistió el disco rayado, transformado de repente en una voz que imitaba la de Rosita.

En la puerta del bar Pasión, pagando tranquilamente su entrada, estaba un hombre de traje blanco y sombrero panamá. Esta visión acabó resultando engañosa. Al acercarme más a él, vi que ni el traje era exactamente blanco ni llevaba panamá sino espesa caballera blanca. Me faltaba ya muy poco

—y la verdad es que en ese momento fui consciente de ello—
para perder los papeles. En cualquier caso, primero los perdió
Alvarado, que, desde la barra del local, empezó a dar consig-
nas a la clientela. Frases como éstas: «Dejadnos vivir», «No
trabajéis nunca», «El éter se vende por nada». Le dio luego
por ir dando tumbos por el bar y abofetear a todos los que se
cruzaban con él. «No podréis conmigo», decía en su delirio.
«Me acompaña Jesucristo.» Naturalmente, todo acabó muy
mal para él, que terminó inconsciente después de recibir todo
tipo de golpes y manotazos. Entre dos camareros lo sacaron
del local, lo arrojaron a la calle. Después vinieron a por mí, y
mis explicaciones si bien no sirvieron de mucho —me obliga-
ron también a dejar el bar—, al menos me ahorraron las bofetadas, aunque no los improperios. Ya en la calle, pasé por encima del cuerpo ensangrentado del pobre Alvarado, y le arrojé
a la cara el medallón de la Virgen de Guadalupe y el alfiler
rojo. Creo que devolvérselo fue todo un detalle por mi parte.
Lo digo en serio. Aquel hombre no tenía nada más en este
mundo. Enfilé un callejón y luego otro, los dos muy sórdidos,
hasta salir a una avenida. El mar me ayudó a orientarme. Ca-
miné durante un buen rato tambaleante, muy despacio, borracho perdido. Cruzando el Zócalo, contento de estar ya a cuatro pasos del hotel, fue cuando me pareció ver a lo lejos una
figura tan tambaleante como la mía, pero con la diferencia de
que esa otra persona era, de entre todo el mundo, la menos
parecida a mí. Era —si la vista no volvía a engañarme— nada
menos que el chulo de Badajoz. «Esta vez sí que lo es, tenlo
por cierto», me dijo el Buitre Zopilote, despertando de su le-
targo. Me acerqué a la figura tambaleante con la intención de
comprobar si era cierto que, aunque no llevara panamá ni fuera
del brazo de la negra, era el chulo de Badajoz. Creo que me acerqué demasiado a él. «¿Qué miras?», preguntó. Sin el panamá
—siempre lo había visto con el maldito sombrero puesto— era
difícil estar del todo seguro de que fuera el hombre que pensaba, aquel hombre que, como si fuera —tal vez lo era— Dios,
parecía estar en todas partes, al menos en todas las partes de mi
cerebro. «¿Qué miras?», repitió, y confirmé que él también

estaba muy borracho. Decidí preguntarle por Rosita. «No sé», musitó nostálgico. «¿No sabes qué?», le dije. «Que no sé», repitió. Todo lo repetía dos veces. «Rosita, seguro que te acuerdas», insistí. «No me acuerdo esta noche de nada», contestó, y me lo repitió otra vez. Andamos un trecho juntos y nos paramos en una esquina del Zócalo. «Extraños en la noche», dijo él. La tragedia no había hecho más que empezar.

Últimamente, cuando me acuesto, me tapo la cara. Me tengo miedo a mí mismo desde mi descenso a los infiernos y al muelle viejo de Veracruz, y le tengo mucho miedo al alcohol tomado en abundancia. Sé que beber sería una posible solución para el insomnio, sé que el alcohol antes de dormir le ayuda a uno a olvidarse de sí mismo. Pero no quiero beber en abundancia porque fue por beber tanto por lo que pasó lo que pasó. Y, además, yo sé que si bebo mucho aún habrá de atormentarme más el recuerdo de haber matado: la estela siniestra de mi modesto asesinato —modesto por la víctima—, el mes pasado, bajo la luna de plata del puerto de Veracruz.

—Rosita —insistí—. Seguro que te dice algo ese nombre.
—Ni idea —contestó—. Ni idea.
La tragedia no había hecho más que empezar.
—¿Y dónde dejaste tu panamá de los cojones?
—Mi gorra —contestó sonriente— tiene un botón blanco y un ancla bordada. ¿Quieres que te lo repita?
—En el pasado te reíste dos veces seguidas de mí, pero no creo que esta vez te resulte eso posible.

—¿Eres español como yo? Yo soy marino. Por eso llevo gorra, no panamá. Y otra cosa: no te entiendo, hijo.

—Tú no eres un marino, eres el chulo de Badajoz y te voy a matar.

Se rió tanto que hasta pensé que el pobre iba a tener allí mismo un ataque agudo de epilepsia. Le observé con mayor detenimiento. Sus uñas eran negras y estaban roídas, pero las falanges, el carpo entero, los fuertes puños eran mucho más poderosos que los míos, quiero decir que el mío: dos puños contra uno, y medio puño suyo superando con creces al mío.

—Eres gracioso, español —me dijo—, muy gracioso. ¿Y sabes qué te digo? Me cae bien la gente como tú, la gente que está como una cabra y, encima, bebe más que yo, que bebo mucho, porque soy marino, y los marinos beben cuando no están en alta mar, porque les da miedo el mundo y este Zócalo y todo lo demás. Yo soy de Castellón de la Plana. Nada de Badajoz, olvídate de eso. Y de chulo menos. Soy un marino con banderita de Panamá.

Esto último, sobre todo, pensé que estaba dicho con perversión y guasa. La palabra Panamá y el hecho de que fuera él español crearon las condiciones suficientes para que siguiera yo sospechando que no me había equivocado al pensar que aquella figura tambaleante era el hombre que, por dos veces, me había quitado a Rosita.

—Dices banderita de Panamá y así crees que te ríes doblemente de mí. ¿No es eso? —le dije.

Le entró una risa imparable, pero no fue ésta la que dio alas a la tragedia que se había puesto silenciosamente en marcha, sino el que poco después, y ante mi acoso, él me dijera que, si tanto interés tenía en que lo fuera, inconveniente no tenía ninguno en reconocer que era el chulo de Badajoz.

—Así me gusta —le dije al borde del coma etílico—. Que asumas tus responsabilidades.

—Y perdona —dijo tendiéndome la mano, con mirada cordial— si alguna vez te hice alguna putada.

Me veo, unos minutos después, entrar acompañado por el chulo de Badajoz en La Momia, un restaurante sofisticado, con música en directo y muchas luces y un gran cartel que anunciaba que el local estaba abierto toda la noche. Allí, mientras compartíamos como buenos hermanos —aunque yo pensaba ya en matarlo— un bolován de huitlacoche y bebíamos ron Salón Brasse, no sé cómo fue que ante su insistencia pelmaza por saber cómo había perdido yo el brazo, le oí decir que, puesto que no se me veía preparado para contárselo, lo haría él por mí.

—Si tú eres manco —le oí decir, con toda seguridad— es porque a mí me gusta que seas así.

Digo con toda seguridad porque me pareció muy raro lo que acababa de oír, pero estoy seguro de que lo oí. Además, el mal —había dejado de ser bueno— Buitre Zopilote se sintió obligado a repetirme la frase, por si acaso dudaba del contenido:

«Dice que si eres manco es porque a él le gusta que seas así.»

Reaccioné con exagerada lentitud, pero dándole a entender —y de hecho era así— que reaccionaba, aunque estuviéramos ya en el infierno. Le dije, sacudiendo mi cabeza, como si estuviera dándole la razón de algo:

—Sí. De acuerdo. Te felicito. Tú eres la mano invisible que lleva años jodiéndome la vida.

—La mano invisible —dijo con excesiva alegría, para mí ya hasta insultante—. Pero esa mano es la tuya o, mejor dicho, la que fue tuya y que ahora me resulta imposible de ver porque noto que te falta.

—No. Tú eres esa mano invisible. He oído que lo decías.

—Está bien —dijo como si hubiera decidido resignarse a no llevarme la contraria—. De todas las desgracias de tu vida que, por lo que dices y por lo que lloras y bebes, deben haber sido muchas, soy yo, en efecto, el máximo responsable. ¿Contento de saberlo?

—¿No estarás diciéndome que fuiste tú el que envió la fiebre mortal a Carmen?

Dudó unos instantes. Luego dijo:

—Sí, claro. Fui yo, que reparto fiebres.

—De algo estoy seguro. Mataste a Máximo en Beranda. En la carretera que va al Casino. Eso no lo puedes negar.

—Sí. Fui yo.

Como si fuera un apuntador de teatro, el Buitre Zopilote reapareció para recordarme lo infeliz que había sido yo en África.

—Me dicen —le dije— que fuiste tú quien me empujó a disparar en Dahomey contra aquel tipo que pretendía robarme. Aunque fue en defensa propia me convertiste en un asesino.

—Sí. Fui yo.

«Y empujó al suicidio a Antonio», susurró el Buitre Zopilote.

—Me dicen que enviaste fuera del mundo a mi hermano el escritor.

Dudó unos instantes. Luego dijo:

—Sí. Fui yo, que reparto todo tipo de fiebres.

—Y está claro que fuiste tú el que me dejó arruinado para siempre en Montecarlo.

—Exacto, exacto.

—Y el que me quitó a Rosita.

—Sí, señor.

—Dos veces.

—¿Dos veces qué?

—Dos veces, pendejo, me la robaste.

—Sí, señor.

—Y una vez me dejaste sin brazos.

—¡Alto ahí! Eso no es verdad. Te dejé uno. A la vista está.

—No creas que vas a seguir riéndote de mí.

—Lo mismo te digo —me contestó sonriendo.

—Tú mataste a Máximo, que era mi hermano más querido —le dije levantando la voz para que viera que no bromeaba.

—Bueno, ahora escúchame, Fulano, o como te llames. Tú estás borracho y yo también. Dejemos las cosas para otro momento. Tengo yo ganas de regresar al barco. Necesito tranquilidad. Y la cama. Este teatro que me estás haciendo empieza a parecerme pesado. No estoy en Veracruz para recordar contigo las desgracias de tu vida.

Ninguna frase me ha ofendido tanto como esta última. Le dije que iba a matarlo.

—¡Oh, vamos! —protestó—. Empiezo a estar harto de ti y no le veo ya la gracia a todo esto. Quiero, reclamo mi camarote.

—Tú sigue riéndote y ya verás. ¿Dónde está Rosita?

—¿Otra vez? Pero mira que eres pesado. ¿Lo sueles ser muy a menudo?

Lo quería matar, lo tenía cada vez más claro. Efectos de su insolencia insoportable, pero también efectos del mezcal combinado tan diabólicamente con todo tipo de bebidas. Me quedé mirando cómo se le crispaba su bigotillo color hollín, mirando los horrendos pelos negros en el dorso de sus manos regordetas. Le quería matar.

Me veo persiguiéndole, al salir del bar, por toda Veracruz.

—Déjame en paz —decía—. Ya tengo bastante por hoy. Quiero mi camarote.

Implacable, le seguí por unas escaleras sinuosas que llevaban al muelle viejo, donde se suponía que estaba su barco de bandera panameña. Luna llena. Terminé acorralándolo en un oscuro rincón y le dije en tono muy pendenciero:

—Escúchame bien, chulo. Me has desgraciado la vida, pero eso se te va a acabar. Ahora soy yo quien te va a desgraciar a ti. A ver si eso te hace también la misma gracia. Quiero que comprendas que vas a morir dentro de un instante, quiero que entiendas que no te queda tiempo ni para fumar tu último cigarrillo.

—No fumo —bromeó.

—Concéntrate. Trata de comprender lo que va a ocurrirte. Es para mí muy importante que seas consciente de que todo el Mal que me has hecho vas a pagarlo ahora.

—¿Quieres boxear acaso? —preguntó arrogante.

Se rió y volví a ver los horrendos pelos negros en sus manos asquerosamente regordetas. Entonces saqué la pequeña pistola negra que me habían vendido, unos días antes, en el tren de Jalisco. La pistola —todavía hoy no sé muy bien por qué– me recordaba vagamente al peine que le robé a Botero. Se la mostré en la palma de mi única mano, como ofreciéndosela.

–Qué revólver más lindo tienes ahí –comentó.

–Concéntrate, idiota. Quiero que te des cuenta de lo que te va a pasar.

–¿Me vendes la pistolita? ¡Qué linda!

Eso exasperó definitivamente mis ánimos. Antes de apretar con verdadera rabia el gatillo, recuerdo que por unos instantes me conmovió la confirmación más que rotunda de que el famoso Dios era sólo un pobre diablo, un desgraciado, un jodido chulo de Badajoz.

–¿Me la vendes? –repitió, pero esta vez poniéndose patéticamente de rodillas, a un metro escaso de la sucia agua del puerto.

–Te la regalo si vuelves a decirme que soy manco por la gracia de Dios y porque a ti siempre te gustó que yo fuera así. Anda, guapo, repítelo.

Nunca sabré qué quiso entonces decirme. Abrió la boca, tal vez simplemente para implorarme misericordia. El hecho es que yo, movido por la impaciencia, no aguardé a ver qué decía. Disparé y cayó al agua como si fuera un saco de patatas. Unas tristes burbujas insignificantes fueron lo último que vi de él.

–¿Descansaste bien? –me preguntó Pitol a la mañana siguiente, en el momento de entrar en la carretera que iba a devolvernos a la casa de Xalapa.

–Tuve una pesadilla –dije–. Mataba a Dios, que resultaba ser un pobre hombre, un chulo de Badajoz. En el momento de disparar contra él se le poblaron los ojos con millones de luceros y confesó haberse equivocado siempre conmigo. Me ha sorprendido descubrir que Dios era tan poca cosa.

A Pitol no se le escapaba que yo viajaba con gafas negras y la resaca más brutal. Le vi quedarse mirando, unos segundos, el nublado paisaje, y poco después le oí decir:

–¿Quién puso esa almohada bajo tu cabeza?

A veces imagino que me voy.

A veces imagino que me está llegando la hora, que entra la policía en casa y yo debo escaparme por la puerta trasera. A veces imagino qué me sucedería si me interrogaran y el inspector me preguntara por qué le disparé a Dios en Veracruz.

—Lo maté porque era de Badajoz.

—Muy gracioso.

—Es que soy de Veracruz.

Pero lo que más imagino a veces es que escapo de la policía, me voy por la puerta de atrás. Y no es remordimiento lo que siento sino la angustia —como la que, a veces, deben de sentir, por ejemplo, esos escritores que tantas verdades fingidas inventan— de que en cualquier momento me pueden descubrir y ser muy alto el precio que pague por ello.

El telegrama urgente de Marta.

Esta mañana, mientras estaba silbando una canción tonta de la radio, he sido descubierto en ese trance por la familia —al completo— de Felanitx. Han entrado en casa los cuatro, casi a galope, para entregarme un telegrama que, siendo para mí, se lo habían dado por error a ellos. Mientras esperaban, muertos de curiosidad, a que leyera el telegrama, me han recordado que hoy es viernes y que, por tanto, volvía a haber mercado en Sineu y que, de yo desearlo y no ser grave el mensaje del telegrama, estaba invitado de nuevo a ir con ellos a esa población. Les he dicho que el telegrama sólo indicaba que debía llamar con urgencia a mi cuñada Marta, pero que en cualquier caso declinaba su amable invitación. Cuando se han ido me ha parecido que lo hacían muy decepcionados y que hablaban entre ellos en mexicano.

Seguido por el siniestro perro, que parece empeñado en poner en evidencia mi condición de alma en pena, he ido hasta una cabina de teléfono y he llamado a Marta. Antes de escuchar su voz y a modo tal vez de presagio de lo que me esperaba, han retumbado en el interior de mi cabeza siete campanadas, procedentes del reloj de Berga. Rosita ganó a las monjas el pleito por la herencia de Máximo. Se queda con todo lo de nuestro hermano. De modo que deberé desalojar lo más pronto posible mi ático de Sant Gervasi.

No es que lo haya pensado demasiado, pero creo que será lo mejor. Voy a aceptar la oferta que me hicieron ayer de ser el encargado en invierno del supermercado de este pueblo. No pagan mucho, pero siempre será mejor que trabajar de camarero gracias a la compasión que doy. Pasaré aquí el invierno. Después de todo, no tengo otro sitio mejor donde caerme muerto. Me dedicaré a escribir una novela basada en este cuaderno secreto, pero cambiándolo todo, para que así sea publicable. La verdad no sólo nunca parece verdadera sino que, en mi caso, podría además condenarme a cadena perpetua. Contaré verdades fingidas, que es lo que he podido ver que hacen todos los novelistas, pues sus aventuras escritas —nunca falla— siempre son inventadas. Así que narraré la historia de mi vida, pero bien desfigurada y omitiendo, como es lógico, el crimen de Veracruz y contando todo lo demás de una manera tan distinta de como en realidad sucedió que hasta para mí acabe resultando irreconocible. Lo falsearé todo, hasta fingiré sentimientos, no como en este cuaderno, en el que sólo cuento la verdad. De él voy a conservar únicamente la primera frase: «No todo el mundo sabe que a Veracruz y a sus playas lejanas no pienso en la vida nunca volver.» Lo demás, todo lo cambiaré, contaré la historia de mis aventuras con gran lujo de detalles falsos. Pasaré el invierno en esta casa horrible frente al mar, en compañía de mi insomnio y de este perro que es la muerte misma y me mira. Me aventuraré. Escribiré, mentiré. Trataré de olvidar mi pequeño mundo de pronóstico grave. Pasaré el invierno en esta casa donde todo sobrevive y yace muerto. Por las noches, como el derrotado en la vida que soy, saldré a pasear junto a este aburrido mar. Saldré como salen a la plaza los verdaderos toreros, que salen muertos y si no no salen. De regreso en casa, fumaré a la luz de la luna de plata de Veracruz. Les voy a contar mi vida. Haré que viajen como locos. Pasaré los odiosos días que me quedan escribiendo la novela de mi vida inventada. ¿Acaso la ambición no es el último refugio del fracaso? Escribiré, mentiré a la luz de la luna de la antigua Villa Rica de la Vera Cruz, que me hará señas de plata sobre el muro blanco. Pasaré aquí el invierno, alma en pena con dos estufas, viajando alrededor de mi cuarto. Se van a enterar. Les voy a engañar a todos.